초등 연산의 기준

칸토의 연산

뺄셈구구

"초등 입학 후 우리 아이가
해야 할 수학은?"

우리 아이가 초등학교에 처음 입학할 때의 모습이 떠오릅니다. 머리도 혼자 감지 못하는 아이가 벌써 초등학생이 되어 많은 아이들과 교실에서 생활한다니 대견스러우면서도 한편으론 '아이가 40분 수업 시간 동안 집중하며 앉아 있을 수 있을까? 소변이라도 보면 어떻게 하지?' 등등 고민이 한가득이었지요.

기대 반 걱정 반으로 하루하루를 보내며 아이는 어느덧 별탈 없이 학교에 잘 적응하는 모습입니다. 걱정이 사라질 즈음 아이는 학교에서 생전 처음 단원 평가라는 시험을 보게 됩니다. 7살 때 100까지 막힘없이 세던 우리 아이라 당연히 100점을 맞았을 거라 생각했지만 아쉽게 한두 개 틀려 옵니다. '실수라고, 다음에 잘하겠지.'라고 넘겨 보지만 100점 맞기는 쉽지 않습니다. 혹시나 해서 "다른 친구들은 어떻게 봤니?"라고 물으면 "누구누구는 100점 맞았어!"라고 자기랑 상관없다는 듯이 무심코 하는 말에 마음이 무너집니다.

아차 싶어 이제부터 친구 엄마들에게 학원, 학습지 등 공부 정보를 수집하며 어떤 선택이 우리 아이에게 최선의 선택일지 갈등과 고민이 시작됩니다. 공부란 것을 제대로 해 보지 못했던 우리 아이는 자기랑 맞지 않는 공부를 부모의 계획에 따르며 어느 순간부터 부모와의 감정싸움이 시작됩니다. 부모님들이 초등 저학년에 많이 겪게 되는 고민거리입니다.

중학교에서 수학을 포기하는 아이들의 상당수가 초등 연산의 기초가 없어서라고 합니다. 자연수, 분수의 사칙연산을 어려워하는 아이들이 정수, 유리수의 사칙연산을 어려워하는 것은 당연합니다.

고등학교에서 수학을 포기하는 아이들의 상당수는 공부하는 습관이 몸에 배어 있지 않아서라고 합니다. 공부 계획을 세우고 공부하는 습관은 학교에서 따로 가르쳐주지 않습니다. 할 줄 아는 아이들만 공부 계획표를 꾸준히 작성하고 실천하지 나머지는 포기합니다. 단시간에 공부습관을 바로잡기는 시간이 너무 부족합니다.

그렇다면 우리 아이가 초등학생 때 해야 할 수학은 무엇일까요?

공부 습관과 수학에 대한 자신감을 기르는 것입니다. 그런데 이 둘은 모두 연산 학습으로 잡을 수 있습니다.

연산은 매일 꾸준히 지치지 않고 하는 것이 핵심입니다. 꾸준한 연산 학습은 연산 실력을 향상시킬 수 있을 뿐만 아니라 앞으로의 공부 습관과 태도를 형성할 수 있는 매우 중요한 학습 방법입니다. 처음에는 개념 위주로 연산의 정확도를 목표로 학습하고 꾸준히 연습하면 속도는 저절로 올라가니 처음부터 속도에 욕심내지 마세요. 그리고 연산 학습과 더불어 공부 시간을 10분, 20분, ……, 60분으로 늘려나가며 공부 체력을 길러 주세요.

연산을 잘하면 무엇이 좋을까요?

수업 시간에 대답도 잘하고 선생님께 칭찬을 받아 자신감이 올라갑니다. 또 아이는 잘하려는 마음이 생겨서 노력하게 되고 성취하게 되며 칭찬을 받게 되는 과정을 되풀이하여 결국 자신감을 넘어 자존감이 올라가게 됩니다.

또한 초등 저학년 수학 내용은 반 이상이 연산이라 연산을 잘하면 저학년 수학을 잘할 수 있습니다. 그리고 도형, 측정과 같은 다른 영역에서 넓이, 부피, 시간, 각도 등을 구할 때에도 연산이 중요하게 사용되므로 결국 수학을 잘한다는 것으로 이어집니다.

초등학교는 대학입시를 준비하는 단계가 아닙니다. 초반부터 무리하게 시작하는 것보다 아이에 맞게 공부 시간과 난이도를 조절해 보세요. 초등 공부 습관과 자신감은 중·고등 시기에 학업 성취를 높여 주는 발판이 될 것입니다. 나아가 하루하루 쌓여 끈기가 되고 인생을 살아가는 지혜가 될 것입니다.

"초등 6년 연산
학년별로 이것만은 꼭 알고 가요."

학년별로 성취해야 할 연산 내용을 미리 살펴보고, 부족한 부분을 정리해 보세요.

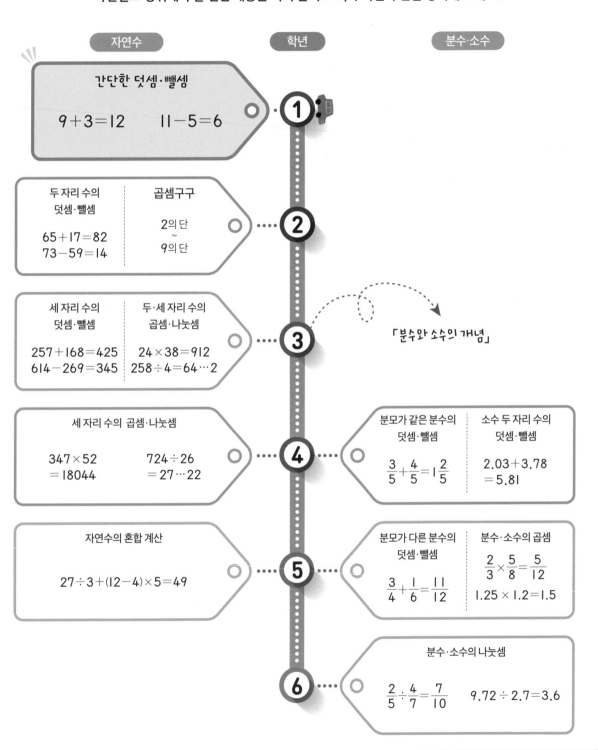

자연수

학년

분수·소수

간단한 덧셈·뺄셈

$9+3=12$ $11-5=6$

①

두 자리 수의 덧셈·뺄셈

$65+17=82$
$73-59=14$

곱셈구구

2의 단
~
9의 단

②

세 자리 수의 덧셈·뺄셈

$257+168=425$
$614-269=345$

두·세 자리 수의 곱셈·나눗셈

$24×38=912$
$258÷4=64…2$

③

「분수와 소수의 개념」

세 자리 수의 곱셈·나눗셈

$347×52$
$=18044$

$724÷26$
$=27…22$

④

분모가 같은 분수의 덧셈·뺄셈

$\frac{3}{5}+\frac{4}{5}=1\frac{2}{5}$

소수 두 자리 수의 덧셈·뺄셈

$2.03+3.78$
$=5.81$

자연수의 혼합 계산

$27÷3+(12-4)×5=49$

⑤

분모가 다른 분수의 덧셈·뺄셈

$\frac{3}{4}+\frac{1}{6}=\frac{11}{12}$

분수·소수의 곱셈

$\frac{2}{3}×\frac{5}{8}=\frac{5}{12}$

$1.25×1.2=1.5$

⑥

분수·소수의 나눗셈

$\frac{2}{5}÷\frac{4}{7}=\frac{7}{10}$ $9.72÷2.7=3.6$

단계별 구성

칸토의 연산 시리즈

- 연산의 원리부터 재미있는 퍼즐형 문제까지 다루는 기본 난이도의 연산 교재
- 나선형 반복 학습과 확장 커리큘럼
- [칸토의 연산] ➡ [응용 연산]으로 이어지는 기본·심화 연산 학습 설계
- 단계별 4권, 9단계 총 36권 구성
- 한 단계 4개월 완성
- 학년별 교과서 진도와 맞춤 병행

이 책의 구성과 특징

- 하루 2쪽, 매주 5일씩 4주 동안 완성하는 연산 프로그램이에요.
- 연령별 아이의 학습 눈높이와 학습 체력에 맞게 쉬운 난이도와 하루 10분 정도의 학습 분량으로 구성하였어요.

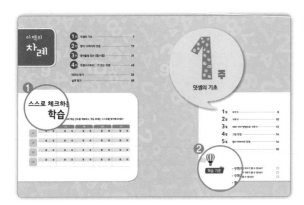

1 학습 안내 무엇을 공부할까요?

❶ 스스로 학습 진도를 계획하고 실천해 보세요.

❷ 이번 주에 꼭 알아야 할 학습 기준을 체크해요.
공부 전에 간단히 살펴보고, 한 주 공부가 끝나면 공부한 내용을 잘 알고 있는지 반드시 확인해 보세요.

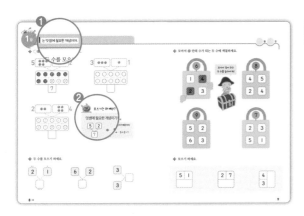

2 일일 학습 매주 5일씩 4주 동안 공부해요.

❶ 일일 학습 목표를 효율적으로 달성하기 위한 학습 목표 및 노하우를 담았어요. 무엇을 공부하는지 미리 알고 가는 공부는 목표 달성률이 훨씬 높답니다.

❷ 연산의 개념, 원리뿐만 아니라 궁금증을 해결할 수 있는 학습 노하우를 꼭 확인하세요.

3 확인 학습

이번 주 배운 내용을 잘 알고 있나요?

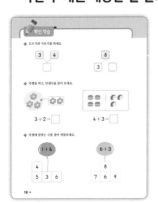

4 마무리 평가＋실력 평가

4주 동안 배운 내용을 잘 알고 있나요?

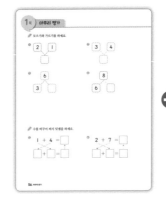

이 책의 차례

스스로 체크하는
학습 진도표

"일일 학습을 시작하기 전에 날짜를 기록하여 학습 진도를 계획하고, 학습 후에는 스스로를 평가해 보세요."

	1일		2일		3일		4일		5일	
1주	월	일	월	일	월	일	월	일	월	일
2주	월	일	월	일	월	일	월	일	월	일
3주	월	일	월	일	월	일	월	일	월	일
4주	월	일	월	일	월	일	월	일	월	일

10까지의 뺄셈

학습 기준

· 9까지의 수에서 뺄셈을 할 수 있나요? ☐

· 10－(어떤 수)를 계산할 수 있나요? ☐

· 10－☐＝(어떤 수)에서 ☐를 구할 수 있나요? ☐

그림 뺄셈 으로 뺄셈의 개념을 2가지로 이해해 보자.

➕ 그림을 보고 뺄셈을 하고, 뺄셈식을 읽어 보세요.

사탕 **3**개가 있었는데 동생이 **1**개를 몰래 먹었어.

쓰기 $3 - 1 = \boxed{2}$

읽기 3 빼기 1은 2와 같습니다.

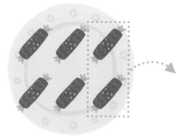

$4 - 3 = \boxed{}$

$6 - 2 = \boxed{}$

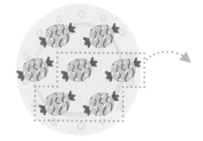

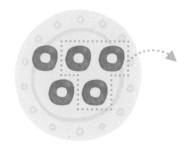

$7 - 4 = \boxed{}$

$5 - 3 = \boxed{}$

➕ 짝을 지어 선을 긋고, 뺄셈을 하세요.

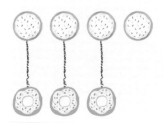

쓰기 $4 - 3 =$ $\boxed{1}$

읽기 4와 3의 차는 1입니다.

$5 - 2 =$ $\boxed{}$

$6 - 4 =$ $\boxed{}$

$4 - 1 =$ $\boxed{}$

뺄셈에는 2가지 상황이 있어.

[제거]	[비교]
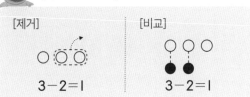	
$3 - 2 = 1$	$3 - 2 = 1$

$7 - 3 =$ $\boxed{}$

한 자리 수의 뺄셈 을 가르기와 계란판 모형으로 이해해 보자.

➕ 가르기를 이용하여 뺄셈을 하세요.

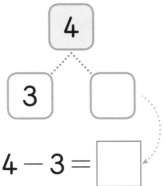

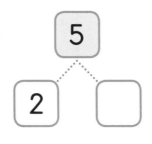

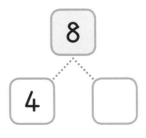

$4 - 3 = \boxed{}$

$5 - 2 = \boxed{}$

$8 - 4 = \boxed{}$

가르기가 '빼기' 나였구나!

➕ ●을 /으로 지워 뺄셈을 하세요.

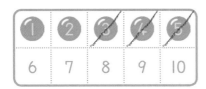

$5 - 3 = \boxed{}$

$7 - 4 = \boxed{}$

$6 - 2 = \boxed{}$

$8 - 3 = \boxed{}$

➕ 관계있는 것끼리 선으로 이으세요.

➕ 뺄셈을 하세요.

$5 - 1 =$ ☐ $3 - 2 =$ ☐

$7 - 4 =$ ☐ $6 - 5 =$ ☐

0은 빼나 마나야.

$4 - 2 =$ ☐ $9 - 0 =$ ☐

$5 - 5 =$ ☐ $8 - 3 =$ ☐

➕ 뺄셈을 하세요.

9	-6	☐
	-5	☐
	-4	☐

9	-1	☐
	-2	☐
	-3	☐

뺄셈을 하여 계산 결과가 작은 수부터 차례로 선으로 이으세요.

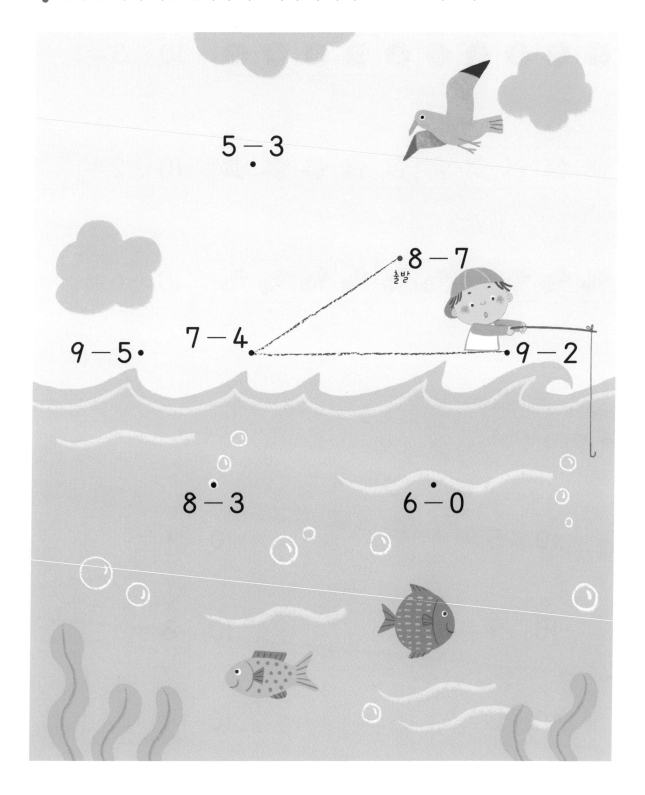

$5-3$

$8-7$ 출발

$9-5$ $7-4$ $9-2$

$8-3$ $6-0$

4일 10에서 빼기(1) 10에 대한 짝꿍 수를 아직 기억해? 10에서 빼기로 연습해 볼까?

➕ 그림을 /으로 지워 10에서 빼기를 계산하세요.

| 1 | 2 | 3 | 4 | 5 | 6 | 7 | 8 | 9 | 10 |

$$10 - 3 = \boxed{}$$

| 1 | 2 | 3 | 4 | 5 | 6 | 7 | 8 | 9 | 10 |

$$10 - 2 = \boxed{}$$

| 1 | 2 | 3 | 4 | 5 | 6 | 7 | 8 | 9 | 10 |

$$10 - 6 = \boxed{}$$

➕ 뺄셈을 하세요.

$$10 - 5 = \boxed{} \qquad 10 - 1 = \boxed{}$$

$$10 - 7 = \boxed{} \qquad 10 - 8 = \boxed{}$$

$$10 - 3 = \boxed{} \qquad 10 - 9 = \boxed{}$$

✚ 올바른 계산 결과를 따라 미로를 통과하세요.

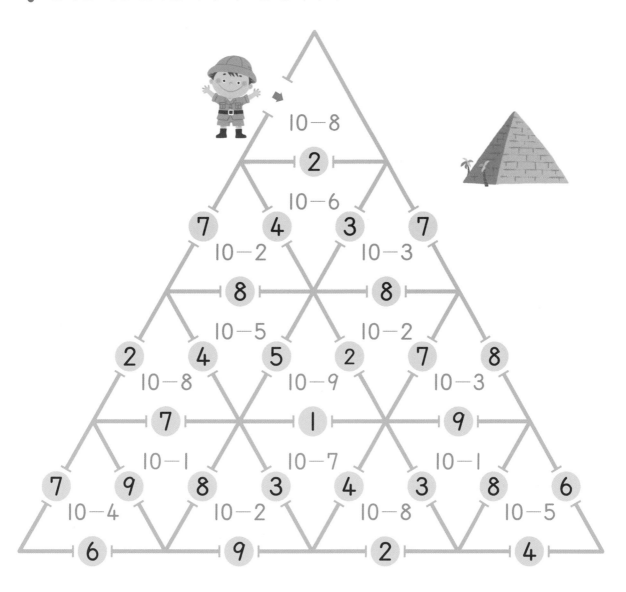

➕ ●을 /으로 지워 빈칸에 알맞은 수를 구하세요.

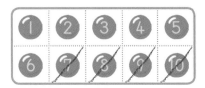

$$10 - \boxed{4} = 6$$

$$10 - \boxed{} = 8$$

$$10 - \boxed{} = 5$$

$$10 - \boxed{} = 4$$

➕ 빈칸에 알맞은 수를 쓰세요.

$$10 - \boxed{} = 2 \qquad 10 - \boxed{} = 7$$

$$10 - \boxed{} = 5 \qquad 10 - \boxed{} = 4$$

$$10 - \boxed{} = 3 \qquad 10 - \boxed{} = 9$$

➕ 10에서 이웃한 수를 빼면 끝에 있는 수가 나와요. 빈 곳에 알맞은 수를 쓰세요.

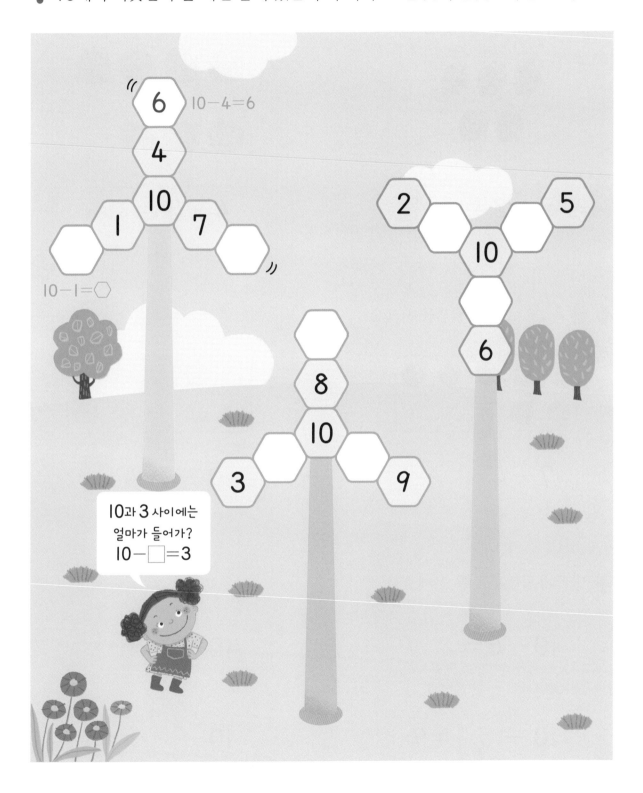

10−4=6

10−1=◯

10과 3 사이에는 얼마가 들어가?
10−☐=3

➕ 뺄셈을 하고, 뺄셈식을 읽어 보세요.

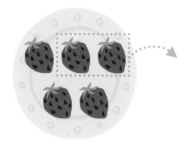

$$5 - 2 = \boxed{}$$

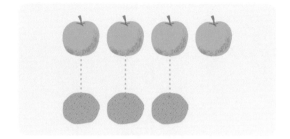

$$4 - 3 = \boxed{}$$

➕ ●을 /으로 지워 뺄셈을 하세요.

$$7 - 4 = \boxed{}$$

$$10 - 3 = \boxed{}$$

➕ 빈칸에 알맞은 수를 쓰세요.

$$10 - 6 = \boxed{}$$

$$10 - 2 = \boxed{}$$

$$10 - \boxed{} = 9$$

$$10 - \boxed{} = 5$$

2주

받아내림 있는 (십몇)-(몇)

학습 기준

· (십몇)−□=10인 뺄셈식에서 □를 구할 수 있나요?   □

· (십몇)−(몇)에서 뒷수를 가르기 하여 뺄셈을 할 수 있나요?   □

· (십몇)−(몇)에서 앞수를 가르기 하여 뺄셈을 할 수 있나요?   □

차가 10인 뺄셈 은 낱개를 모두 없애는 뺄셈이야.

➕ 동전을 보고 빈칸에 알맞은 수를 구하세요.

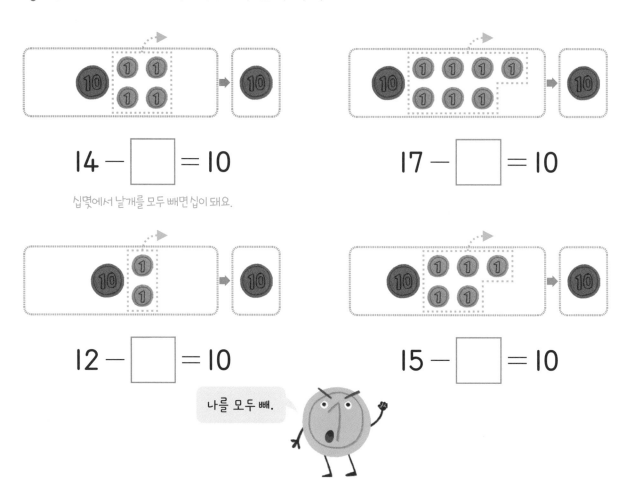

$14 - \boxed{} = 10$

십몇에서 낱개를 모두 빼면 십이 돼요.

$17 - \boxed{} = 10$

$12 - \boxed{} = 10$

나를 모두 빼.

$15 - \boxed{} = 10$

➕ 빈칸에 알맞은 수를 쓰세요.

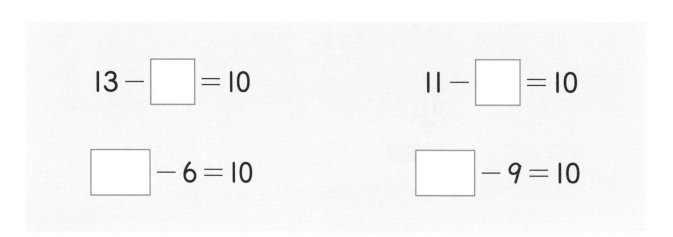

$13 - \boxed{} = 10$

$11 - \boxed{} = 10$

$\boxed{} - 6 = 10$

$\boxed{} - 9 = 10$

➕ 알맞은 길을 그리세요.

14 − 5 = 10

4

6

17 − 6 = 10

8

7

13

14 −3 = 10

12

20

18 −9 = 10

19

✚ 10을 만들어 빼고 빼기를 계산하세요.

$14 - 4 - 2 = \boxed{8}$
10

$11 - 1 - 7 = \boxed{}$
10

$15 - 5 - 6 = \boxed{}$

$12 - 2 - 4 = \boxed{}$

$17 - 7 - 5 = \boxed{}$

$14 - 4 - 1 = \boxed{}$

✚ 관계있는 것끼리 선으로 이으세요.

$11 - 1 - 8$	$10 - 9$	7
$13 - 3 - 9$	$10 - 3$	2
$19 - 9 - 3$	$10 - 8$	1

➕ ☐ 안에 알맞은 수를 쓰세요.

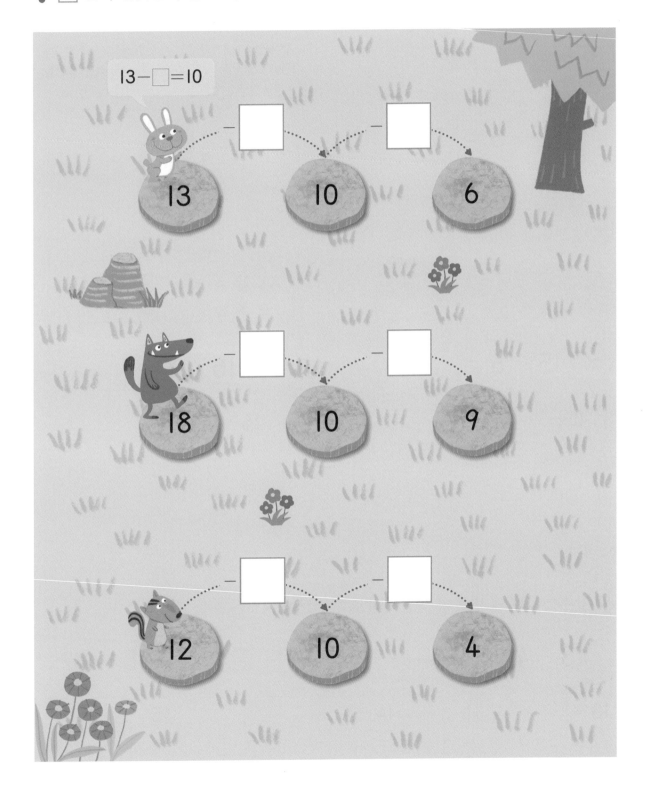

3일 뒷수 갈라 뺄셈 은 앞수를 먼저 10으로 만들어 빼는 뺄셈 방법이야.

➕ 뒷수를 가르기 하여 뺄셈을 하세요.

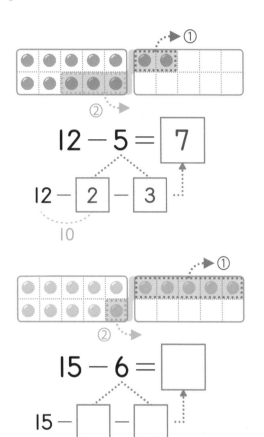

$$12 - 5 = \boxed{7}$$

$$12 - \boxed{2} - \boxed{3}$$

10

먼저 앞수 12가 10이 되도록 뒷수 5를 2와 3으로 갈라.

10이 되도록 뺀 후, 나머지 가른 수 3을 10에서 또 빼.

$$15 - 6 = \boxed{}$$

$$15 - \boxed{} - \boxed{}$$

10

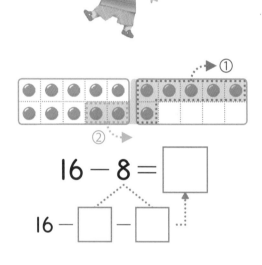

$$16 - 8 = \boxed{}$$

$$16 - \boxed{} - \boxed{}$$

➕ 앞수를 10으로 만들어 뺄셈을 하도록 빈칸에 알맞은 수를 쓰세요.

$$13 - 4$$

$$13 - \boxed{} - \boxed{}$$

10

$$14 - 9$$

$$14 - \boxed{} - \boxed{}$$

10

$$15 - 8$$

$$15 - \boxed{} - \boxed{}$$

10

➕ 뒷수를 가르기 하여 뺄셈을 하세요.

$$11 - 3 = \boxed{}$$
10 $\quad$ -1 $\quad$ -2

$$14 - 7 = \boxed{}$$

$$15 - 9 = \boxed{}$$

$$12 - 4 = \boxed{}$$

 뒷수 갈라 뺄셈은 언제 사용해?

11−2, 12−3과 같이 뒷수가 작을 때 사용하면 편리해.

➕ 빈칸에 알맞은 수를 쓰세요.

13 $\xrightarrow{-5}$ $\boxed{}$

-3 $\searrow$ $\boxed{}$ $\xrightarrow{-2}$

16 $\xrightarrow{-7}$ $\boxed{}$

-6 $\searrow$ $\boxed{}$ $\xrightarrow{-1}$

5를 빼는 것은 3을 빼고 2를 빼는 것과 같아.

10에서 빼고 더하기 는 받아내림이 있는 뺄셈에 꼭 필요한 또 다른 개념이야.

➕ 10에서 빼고 더하기를 계산하세요.

$10 - 8 + 3 = \boxed{5}$
  2

$10 - 9 + 7 = \boxed{}$
  1

$10 - 5 + 2 = \boxed{}$

$10 - 6 + 2 = \boxed{}$

$10 - 9 + 4 = \boxed{}$

$10 - 7 + 1 = \boxed{}$

➕ 관계있는 것끼리 선으로 이었어요. ☐ 안에 알맞은 수를 쓰세요.

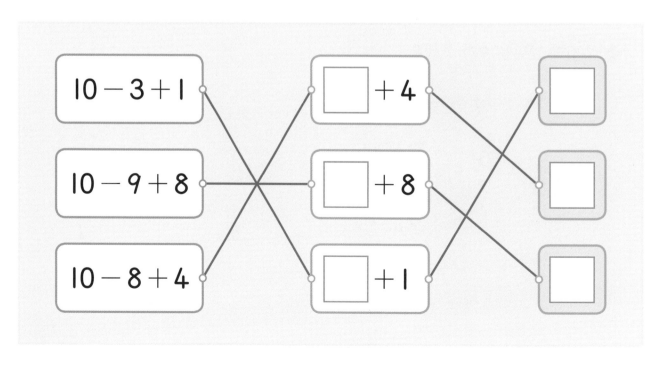

$10 - 3 + 1$	$\boxed{} + 4$	$\boxed{}$
$10 - 9 + 8$	$\boxed{} + 8$	$\boxed{}$
$10 - 8 + 4$	$\boxed{} + 1$	$\boxed{}$

알맞은 길을 따라 미로를 통과하세요.

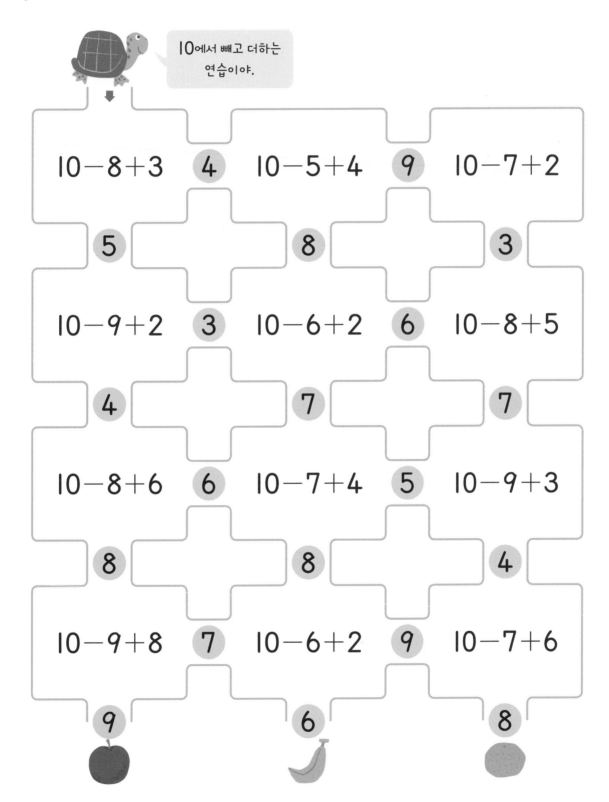

10에서 빼고 더하는 연습이야.

27

➕ 앞수를 10과 어떤 수로 가르기 하여 뺄셈을 하세요.

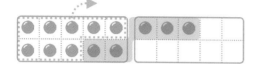

$$13 - 8 = \boxed{5}$$

$$10 - 8 + \boxed{3}$$

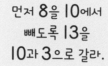

먼저 8을 10에서 빼도록 13을 10과 3으로 갈라.

10에서 뺀 후 나머지 가른 수 3을 더해.

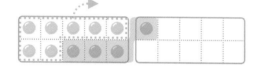

$$11 - 7 = \boxed{}$$

$$10 - 7 + \boxed{}$$

$$15 - 9 = \boxed{}$$

$$10 - 9 + \boxed{}$$

➕ 10에서 뒷수를 먼저 빼도록 빈칸에 알맞은 수를 쓰세요.

$$12 - 9$$

$$10 - \boxed{} + \boxed{}$$

$$11 - 6$$

$$10 - \boxed{} + \boxed{}$$

$$14 - 8$$

$$10 - \boxed{} + \boxed{}$$

✛ 10에서 뒷수를 먼저 빼는 방법으로 뺄셈을 하세요.

$$15 - 8 = \boxed{}$$

10 − 8 + 5

$$13 - 7 = \boxed{}$$

$$17 - 9 = \boxed{}$$

$$12 - 8 = \boxed{}$$

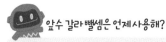

앞수 갈라 뺄셈은 언제 사용해?

13 − 9, 14 − 8과 같이 뒷수가 10에 가까운 큰 수일 때 사용하면 편리해.

✛ □ 안에 알맞은 수를 써서 뺄셈을 하세요.

13 − 9

$$= \boxed{} + 3 = \boxed{}$$

10에서 뒷수를 바로 빼고 남은 수를 더해 봐.

12 − 6

$$= \boxed{} + 2 = \boxed{}$$

15 − 8

$$= \boxed{} + 5 = \boxed{}$$

14 − 7

$$= \boxed{} + 4 = \boxed{}$$

빈칸에 알맞은 수를 쓰세요.

$$17 - \boxed{} = 10 \qquad\qquad \boxed{} - 3 = 10$$

$$12 - 2 - 5 = \boxed{} \qquad\qquad 10 - 9 + 6 = \boxed{}$$

뒷수를 가르기 하여 뺄셈을 하세요.

$$15 - 6 = \boxed{}$$
$$15 - \boxed{} - \boxed{}$$

$$13 - 5 = \boxed{}$$
$$13 - \boxed{} - \boxed{}$$

앞수를 가르기 하여 뺄셈을 하세요.

$$11 - 8 = \boxed{}$$
$$10 - 8 + \boxed{}$$

$$14 - 9 = \boxed{}$$
$$10 - 9 + \boxed{}$$

3주

뺄셈구구표와 □가 있는 뺄셈

학습 기준

• 뺄셈구구표를 완성할 수 있나요? ☐

• □가 있는 두 수의 뺄셈에서 □를 구할 수 있나요? ☐

• 세 수의 뺄셈을 할 수 있나요? ☐

뺄셈구구 연습 앞수 가르기와 뒷수 가르기 2가지 방법으로 뺄셈구구를 연습해 보자.

➕ 2가지 방법으로 뺄셈을 하세요.

방법 1   방법 2

$15 - 8 = \boxed{7}$

10

$- \boxed{5} - \boxed{3}$

$15 - 8 = \boxed{7}$

2

$\boxed{10} \quad \boxed{5}$

$12 - 3 = \boxed{}$

$- \boxed{} - \boxed{}$

$12 - 3 = \boxed{}$

$\boxed{} \quad \boxed{}$

$13 - 9 = \boxed{}$

$- \boxed{} - \boxed{}$

$13 - 9 = \boxed{}$

$\boxed{} \quad \boxed{}$

빼는 수가 작을 때
사용하면 편리해.

빼는 수가 클 때
사용하면 편리해.

 두 가지 방법 중 편리한 방법을 사용해.

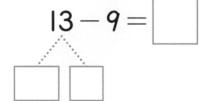

$16 - 9$

10

$-6 \quad -3$

7

$16 - 9$

10   6

7

➕ 관계있는 것끼리 선으로 이으세요.

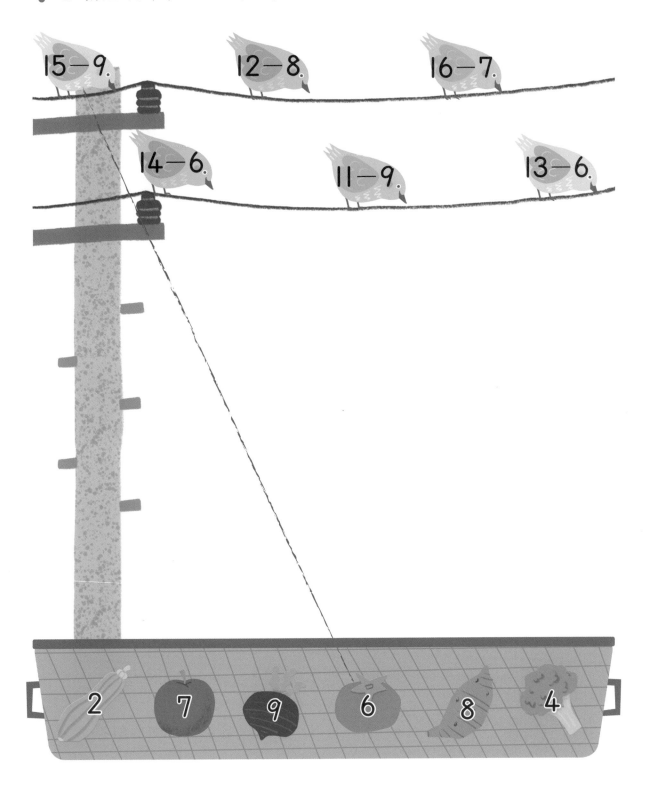

2일 뺄셈구구표 한눈에 보기 <small>81개의 뺄셈구구를 표로 정리해 보자!</small>

♣ 뺄셈구구표를 완성하세요.

−	11	12	13	14	15	16	17	18	19
1	10	11	12	13	14	15	16	17	
2	9	10	11		13	14	15	16	17
3	8	9 (12−3)	10	11	12		14	15	16
4	7	8	9	10	11	12	13	14	15
5	6	7	8	9	10	11		13	14
6	5	6	7	8	9				13
7	4	5	6	7	8	9		11	12
8	3		5	6	7	8	9	10	11
9	2	3	4	5		7	8	9	10

뺄셈구구표에도 규칙이 숨어 있어.

┤ 규칙 ├

① → 방향으로 갈수록 1씩 커집니다.

② ↓ 방향으로 갈수록 1씩 작아집니다.

③ ↗ 방향으로 갈수록 2씩 커집니다.

④ ↘ 방향으로 같은 수들이 놓여 있습니다.

➕ 뺄셈표를 완성하세요.

−	11	12
8	3 (11−8)	
9		

−	17	18
4		
5		13 (18−5)

−	12	13
6		
7		

−	16	17
7		
8		

☐가 있는 뺄셈구구 를 잘하면 뺄셈구구 실력이 좋아져.

➕ ●을 /으로 지워 ☐ 안에 알맞은 수를 구하세요.

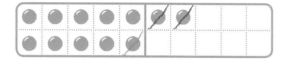

$$12 - \boxed{} - \boxed{} = 9$$

$$12 \overset{10}{-} \boxed{} = 9$$

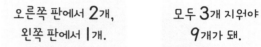

오른쪽 판에서 **2**개,
왼쪽 판에서 **1**개.

모두 **3**개 지워야
9개가 돼.

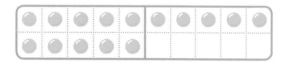

$$15 - \boxed{} - \boxed{} = 8$$

$$15 \overset{10}{-} \boxed{} = 8$$

$$11 - \boxed{} - \boxed{} = 5$$

$$11 \overset{10}{-} \boxed{} = 5$$

➕ 빈칸에 알맞은 수를 구하세요.

$$13 - \boxed{} = 8$$
$$-3 \quad -2$$

$$11 - \boxed{} = 7$$
$$-1 \quad -3$$

$$12 - \boxed{} = 6$$

$$15 - \boxed{} = 9$$

➕ 빈 곳에 알맞은 수를 쓰세요.

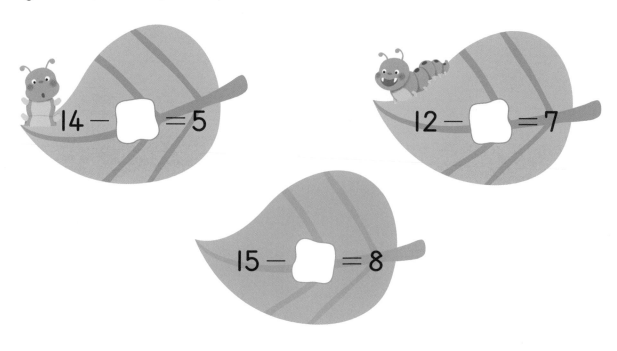

$$14 - \boxed{} = 5$$

$$12 - \boxed{} = 7$$

$$15 - \boxed{} = 8$$

➕ ☐ 안에 알맞은 수를 찾아 선으로 이으세요.

$$11 - \boxed{} = 5$$

$$17 - \boxed{} = 9$$

5

8

6

7

$$12 - \boxed{} = 7$$

$$16 - \boxed{} = 9$$

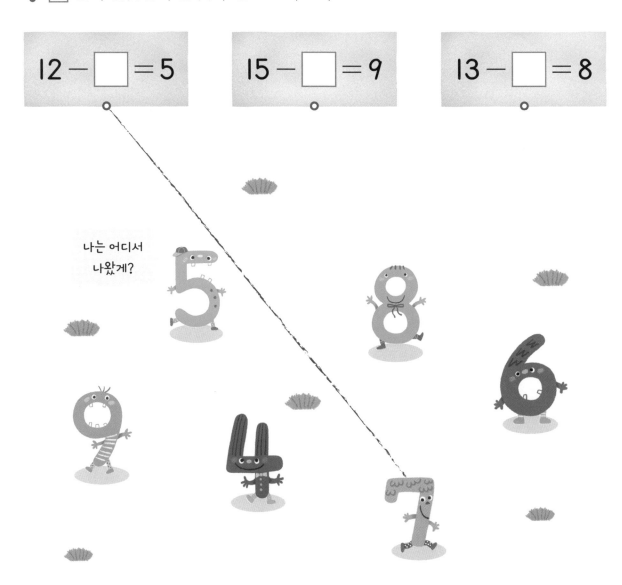

➕ □ 안에 알맞은 수를 찾아 선으로 이으세요.

$12 - \square = 5$

$15 - \square = 9$

$13 - \square = 8$

나는 어디서
나왔게?

$14 - \square = 6$

$11 - \square = 7$

$18 - \square = 9$

➕ 친구들이 두 수의 차를 말합니다. 두 수를 찾아 ◯표 하세요.

□－□＝7

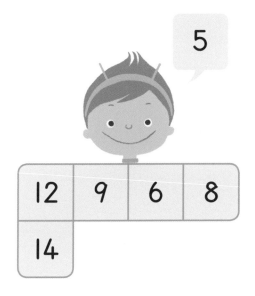

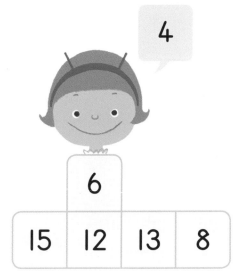

5일 빼고 빼기 세 수의 뺄셈을 앞에서부터 차례로 계산해 볼까?

✚ 세 수의 뺄셈을 하세요.

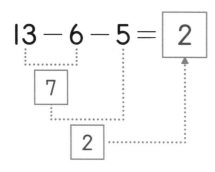

$13 - 6 - 5 = \boxed{2}$

$\boxed{7}$

$\boxed{2}$

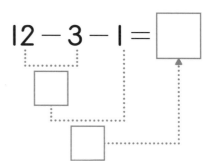

$12 - 3 - 1 = \boxed{}$

$17 - 4 - 7 = \boxed{}$

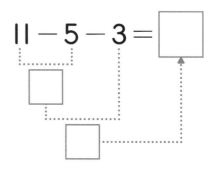

$11 - 5 - 3 = \boxed{}$

✚ 세 수의 뺄셈을 하세요.

$13 - 4 - 5 = \boxed{}$ $14 - 3 - 2 = \boxed{}$

$11 - 5 - 1 = \boxed{}$ $17 - 1 - 9 = \boxed{}$

$19 - 7 - 7 = \boxed{}$ $15 - 3 - 8 = \boxed{}$

➕ 같은 색 선을 따라 차례로 계산하여 ☐ 안에 알맞은 수를 쓰세요.

14−2−6

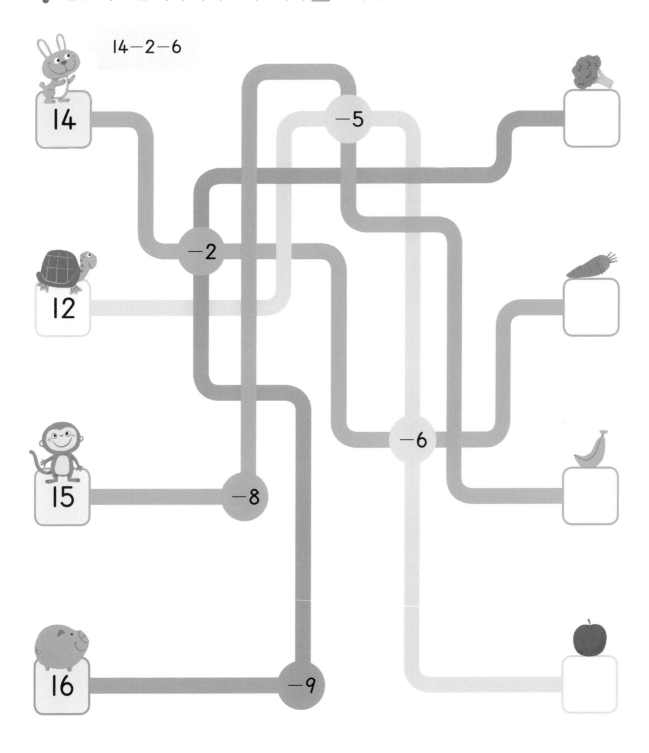

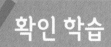

➕ 뺄셈표를 완성하세요.

−	13	14
4		
5		

−	12	13
8		
9		

➕ 빈칸에 알맞은 수를 쓰세요.

$$13 - \boxed{} = 9$$

$$14 - \boxed{} = 8$$

➕ 계산을 하세요.

$$13 - 4 - 5 = \boxed{}$$

$$12 - 3 - 1 = \boxed{}$$

4주

덧셈과 뺄셈

학습 기준

· 덧셈과 뺄셈의 관계를 이해하고 덧셈식은 뺄셈식으로,
  뺄셈식은 덧셈식으로 나타낼 수 있나요?   ☐

· □가 있는 두 수의 덧셈, 뺄셈에서 □를 구할 수 있나요?   ☐

· ＋ 또는 －가 있는 세 수의 계산을 할 수 있나요?   ☐

✚ 물건의 길이를 보고 만들 수 있는 덧셈식과 뺄셈식을 모두 쓰세요.

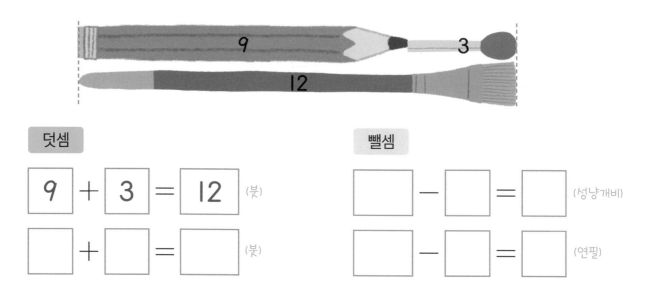

덧셈

$9 + 3 = 12$ (붓)

$\boxed{} + \boxed{} = \boxed{}$ (붓)

뺄셈

$\boxed{} - \boxed{} = \boxed{}$ (성냥개비)

$\boxed{} - \boxed{} = \boxed{}$ (연필)

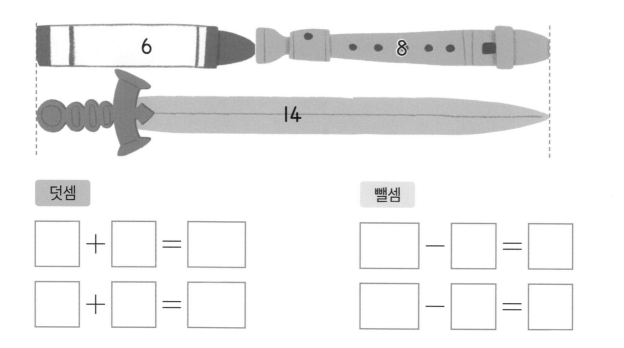

덧셈

$\boxed{} + \boxed{} = \boxed{}$

$\boxed{} + \boxed{} = \boxed{}$

뺄셈

$\boxed{} - \boxed{} = \boxed{}$

$\boxed{} - \boxed{} = \boxed{}$

➕ 덧셈식은 뺄셈식으로, 뺄셈식은 덧셈식으로 나타내세요.

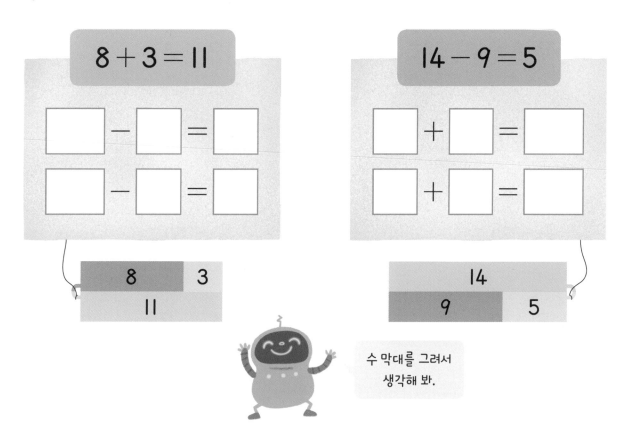

$8 + 3 = 11$

$\boxed{} - \boxed{} = \boxed{}$

$\boxed{} - \boxed{} = \boxed{}$

8	3
11	

$14 - 9 = 5$

$\boxed{} + \boxed{} = \boxed{}$

$\boxed{} + \boxed{} = \boxed{}$

14	
9	5

수 막대를 그려서 생각해 봐.

➕ 주어진 식을 이용하여 다음을 계산하세요.

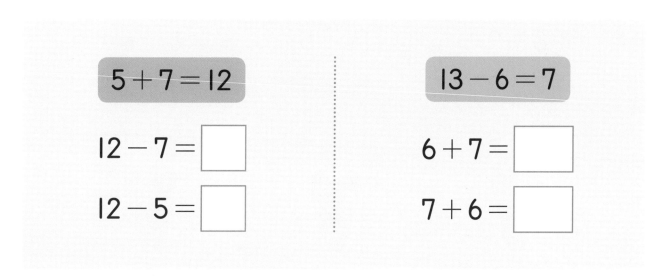

$5 + 7 = 12$

$12 - 7 = \boxed{}$

$12 - 5 = \boxed{}$

$13 - 6 = 7$

$6 + 7 = \boxed{}$

$7 + 6 = \boxed{}$

➕ 덧셈과 뺄셈을 하세요.

$7 + 4 =$ ☐ $12 - 8 =$ ☐

$9 + 6 =$ ☐ $16 - 7 =$ ☐

$11 - 5 =$ ☐ $8 + 8 =$ ☐

$5 + 9 =$ ☐ $14 - 9 =$ ☐

➕ 계산을 하여 ▽ 안의 수가 나오는 식에 색칠하세요.

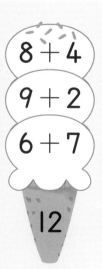

$8 + 9$	$14 - 5$	$8 + 4$
$7 + 9$	$15 - 9$	$9 + 2$
$6 + 6$	$11 - 3$	$6 + 7$
16	**8**	**12**

➕ 펭귄이 화살표 방향으로 뛰어가요. 계산을 하여 ☐ 안에 알맞은 수를 쓰세요.

□ 구하기 덧셈과 뺄셈의 관계를 이용하면 □를 더 쉽게 구할 수 있어.

➕ 올바른 식이 되도록 □ 안에 알맞은 수를 쓰세요.

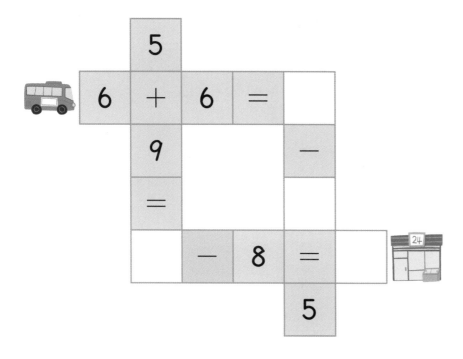

가장 먼저 알 수 있는
칸부터 채워 봐.

$8 + \square = 13$
→ $13 - 8 = \square$

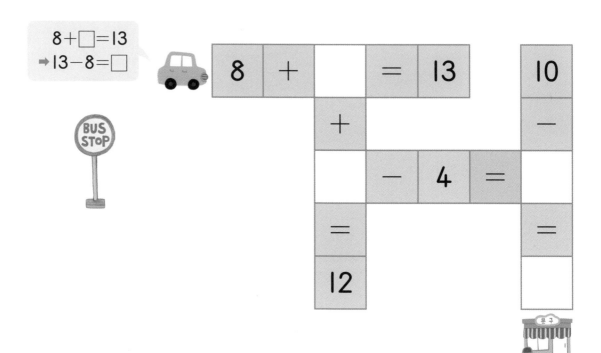

✚ 공 3개 중에서 2개를 뽑아 주어진 식을 만드세요.

어떤 공이 나올까?

$8 + 6 = 14$

$\boxed{} + \boxed{} = 10$

$\boxed{} + \boxed{} = 12$

$\boxed{} - \boxed{} = 4$

$\boxed{} - \boxed{} = 2$

$\boxed{} - \boxed{} = 6$

$\boxed{} + \boxed{} = 13$

$\boxed{} - \boxed{} = 9$

$\boxed{} - \boxed{} = 8$

➕ 계산을 하세요.

$$7 + 5 - 3 = \boxed{9}$$

$\boxed{12} - 3$

$$14 - 8 + 9 = \boxed{}$$

$\boxed{} + 9$

$$6 + 7 + 4 = \boxed{}$$

$\boxed{} + 4$

$$11 - 2 - 6 = \boxed{}$$

$\boxed{} - 6$

➕ 계산을 하고 관계있는 수를 표에서 찾아 모양을 그리세요.

● : 8 + 9 − 5   ▲ : 18 − 9 + 6

■ : 16 − 3 − 7   ★ : 9 + 3 − 8

1	2	3	4	5	6	7	8	9	10
11	12	13	14	15	16	17	18	19	20

➕ 사다리 타기를 하여 빈칸에 알맞은 수를 쓰세요.

갈래길을
만나면 방향을
바꾸어 내려가.

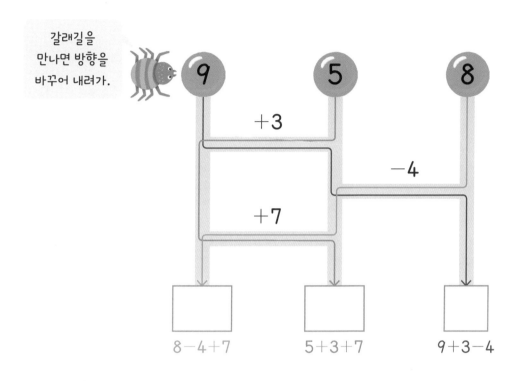

8-4+7　　　5+3+7　　　9+3-4

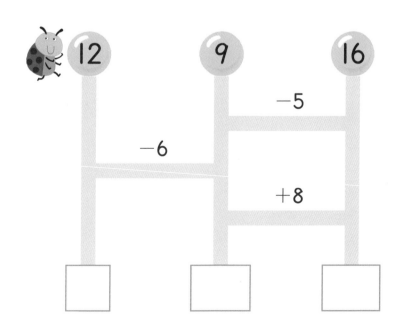

➕ ○ 안에 ＋, ― 를 알맞게 쓰세요.

$$8 \; ⊕ \; 5 = 13$$

$$13 \; \bigcirc \; 6 = 7$$

$$11 \; \bigcirc \; 3 = 8$$

$$9 \; \bigcirc \; 7 = 16$$

$$7 \; \bigcirc \; 5 \; \bigcirc \; 9 = 11$$

$$12 \; \bigcirc \; 4 \; \bigcirc \; 3 = 5$$

$$14 \; \bigcirc \; 3 \; \bigcirc \; 8 = 9$$

$$4 \; \bigcirc \; 6 \; \bigcirc \; 7 = 17$$

수가 커지면
나를 넣고

수가 작아지면
나를 넣어 봐.

알맞은 길을 그리세요.

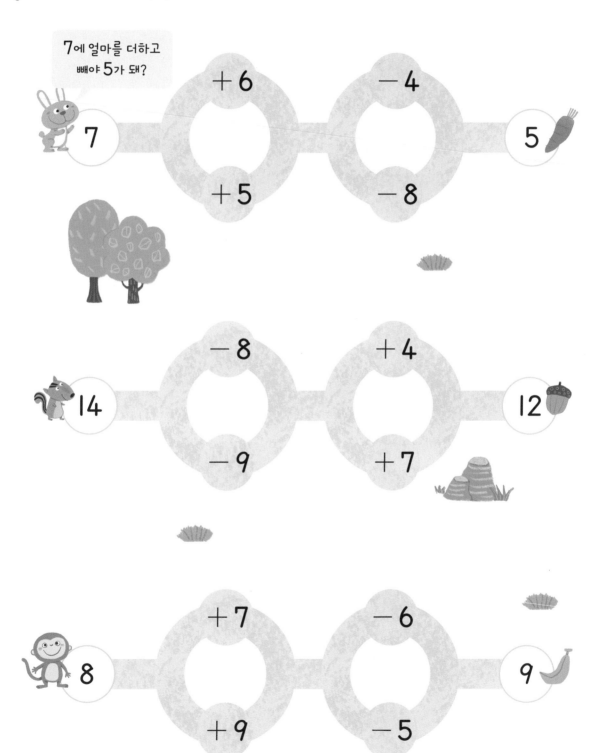

7에 얼마를 더하고
빼야 5가 돼?

7   +6 / +5   −4 / −8   5

14   −8 / −9   +4 / +7   12

8   +7 / +9   −6 / −5   9

➕ 그림을 보고 만들 수 있는 덧셈식과 뺄셈식을 모두 쓰세요.

4	7
11	

덧셈

☐ + ☐ = ☐

☐ + ☐ = ☐

뺄셈

☐ − ☐ = ☐

☐ − ☐ = ☐

➕ 계산을 하세요.

$8 + 5 = \boxed{}$

$12 - 9 = \boxed{}$

$9 + 4 - 6 = \boxed{}$

$15 - 7 + 4 = \boxed{}$

➕ ◯ 안에 +, −를 알맞게 쓰세요.

$16 \bigcirc 3 \bigcirc 7 = 6$

$11 \bigcirc 5 \bigcirc 9 = 7$

마무리
평가

마무리 평가에서는 1, 2, 3, 4주 차의 유형이 순서대로 나옵니다.

문제가 틀리면 몇 주 차인지 확인하여 반드시 다시 한번 복습합니다.

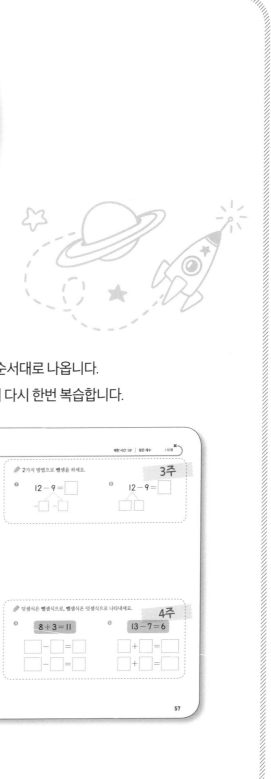

✏️ 그림을 보고 뺄셈을 하세요.

①

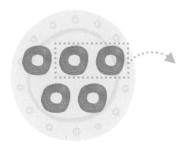

$$5 - 2 = \boxed{}$$

②

$$6 - 4 = \boxed{}$$

✏️ 빈칸에 알맞은 수를 쓰세요.

③ $14 - \boxed{} = 10$

④ $19 - \boxed{} = 10$

⑤ $\boxed{} - 5 = 10$

⑥ $\boxed{} - 6 = 10$

✏️ 2가지 방법으로 뺄셈을 하세요.

❼

$$12 - 9 = \boxed{}$$

$$-\boxed{} \quad -\boxed{}$$

❽

$$12 - 9 = \boxed{}$$

$$\boxed{} \quad \boxed{}$$

✏️ 덧셈식은 뺄셈식으로, 뺄셈식은 덧셈식으로 나타내세요.

❾

$$8 + 3 = 11$$

$$\boxed{} - \boxed{} = \boxed{}$$

$$\boxed{} - \boxed{} = \boxed{}$$

❿

$$13 - 7 = 6$$

$$\boxed{} + \boxed{} = \boxed{}$$

$$\boxed{} + \boxed{} = \boxed{}$$

✏️ ●을 /으로 지워 뺄셈을 하세요.

❶

①	②	③	④	⑤
⑥	⑦	8	9	10

$$7 - 2 = \boxed{}$$

❷

①	2	3	4	⑤
⑥	⑦	⑧	9	10

$$8 - 6 = \boxed{}$$

✏️ 빈 곳에 알맞은 수를 쓰세요.

❸

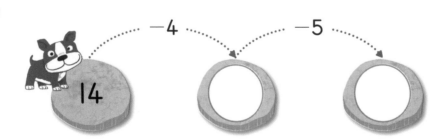

❹

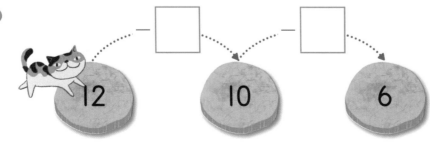

✏️ 뺄셈표를 완성하세요.

❺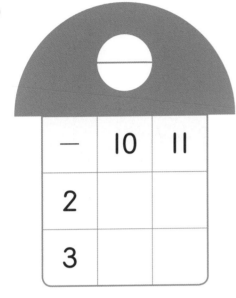

−	10	11
2		
3		

❻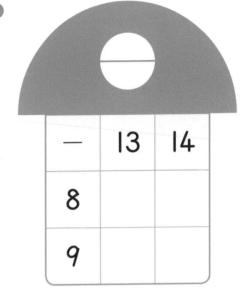

−	13	14
8		
9		

✏️ 계산을 하세요.

❼ $8 + 3 = $ ☐

❽ $6 + 7 = $ ☐

❾ $12 - 4 = $ ☐

❿ $15 - 9 = $ ☐

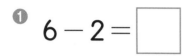

✏️ 뺄셈을 하세요.

① $6 - 2 = \boxed{}$

② $8 - 6 = \boxed{}$

③ $5 - 5 = \boxed{}$

④ $9 - 4 = \boxed{}$

✏️ 뒷수를 가르기 하여 뺄셈을 하세요.

⑤ $12 - 3 = \boxed{}$

$12 - \boxed{} - \boxed{}$

⑥ $13 - 5 = \boxed{}$

$13 - \boxed{} - \boxed{}$

✏️ ●을 /으로 지워 □ 안에 알맞은 수를 구하세요.

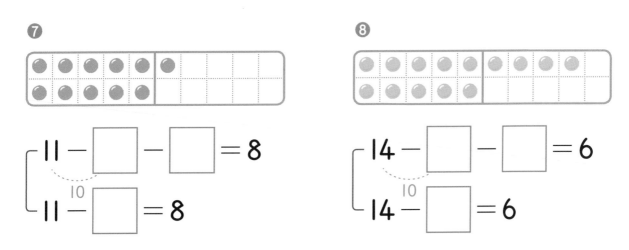

❼

$$11 - \boxed{} - \boxed{} = 8$$

$$11 - \boxed{} = 8$$

❽

$$14 - \boxed{} - \boxed{} = 6$$

$$14 - \boxed{} = 6$$

✏️ 올바른 식이 되도록 빈칸에 알맞은 수를 쓰세요.

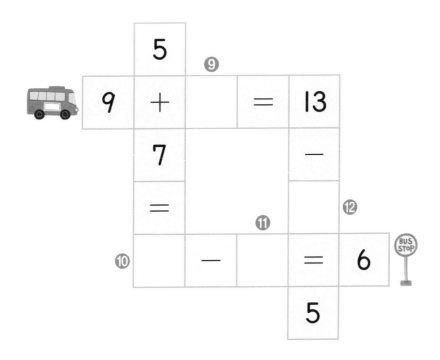

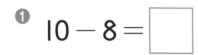 뺄셈을 하세요.

1 $10 - 8 =$ ☐

2 $10 - 4 =$ ☐

3 $10 - 3 =$ ☐

4 $10 - 6 =$ ☐

🖊 10에서 빼고 더하기를 계산하세요.

5 $10 - 7 + 5 =$ ☐

6 $10 - 9 + 4 =$ ☐

✏️ 친구들이 두 수의 차를 말합니다. 두 수를 찾아 ◯표 하세요.

❼

5	16	7
8	12	

❽

14	13	11
7		9

✏️ 계산을 하고 관계있는 수를 표에서 찾아 모양을 그리세요.

❾ ●: 9 + 3 − 6   ❿ ▲: 12 − 7 + 8

1	2	3	4	5	6	7	8	9	10
11	12	13	14	15	16	17	18	19	20

✏️ 빈칸에 알맞은 수를 쓰세요.

① $10 - \boxed{} = 3$

② $10 - \boxed{} = 1$

③ $10 - \boxed{} = 5$

④ $10 - \boxed{} = 8$

✏️ 앞수를 10과 어떤 수로 가르기 하여 뺄셈을 하세요.

⑤ $14 - 8 = \boxed{}$

$10 - \boxed{} + \boxed{}$

⑥ $11 - 6 = \boxed{}$

$10 - \boxed{} + \boxed{}$

✏️ 세 수의 뺄셈을 하세요.

❼ $14 - 3 - 7 = \boxed{}$

❽ $15 - 9 - 4 = \boxed{}$

✏️ 알맞은 길을 그리세요.

❾

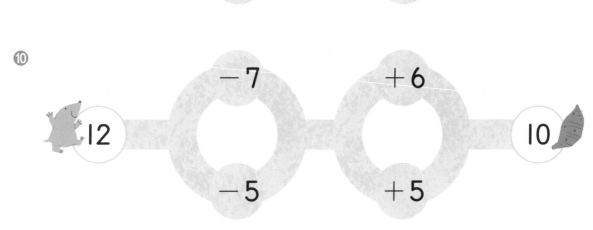

❿

MEMO

실력 평가

초1_2권

시간	2분	문제 수	20개

배점	1문제 5점 / 총 100점

날짜: _____ 월 _____ 일

이름: _____

점수: _____ 점

① $9 - 5 =$

② $11 - 8 =$

③ $10 - 4 =$

④ $16 - 9 =$

⑤ $11 - 7 =$

⑥ $13 - 6 =$

⑦ $17 - 9 =$

⑧ $12 - 8 =$

⑨ $7 - 2 =$

⑩ $14 - 6 =$

⑪ $12 - 7 =$

⑫ $13 - 9 =$

⑬ $1 - 0 =$

⑭ $14 - 5 =$

⑮ $10 - 3 =$

⑯ $13 - 8 =$

⑰ $16 - 7 =$

⑱ $11 - 9 =$

⑲ $15 - 8 =$

⑳ $12 - 6 =$

유아·초등 수학의 필수 개념
교과연계 수백판 100

유아·초등수학에서 꼭 해야 할 필수 교구 수백판 100

수백판

+

워크북(2권)

① 편리한 설계로
유아부터 초등까지
누구나 쉽게 이용가능!

② 보다 다양한 활동을 위해
읽기판과 천판
추가!

③ 수칩 구분이 쉬워
정리와 보관까지
한번에!

④ 초등수학교과를 연계한 체계적인 워크북과
함께하면 스스로 실력이 쑥쑥!

100%
교과 연계
워크북

교과연계 단위 소개와 배워
야 할 학습목표를 한눈에 볼
수 있습니다.

씨투엠이 만들면 기준이 됩니다!

초등 **연산의 기준**

정답

칸토의 연산

뺄셈구구

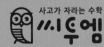
사고가 자라는 수학
씨투엠

초1·2권

초등 연산의 기준

칸토의 연산

정답

뺄셈구구

1주: 10까지의 뺄셈

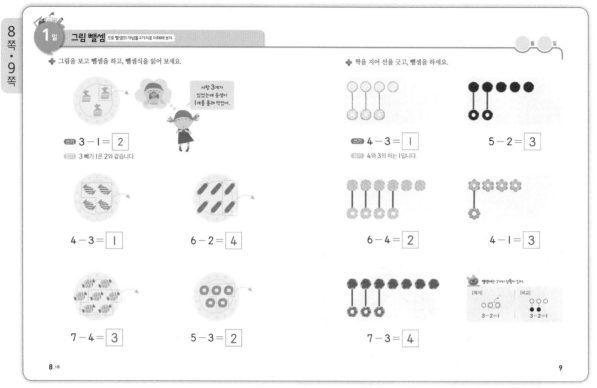

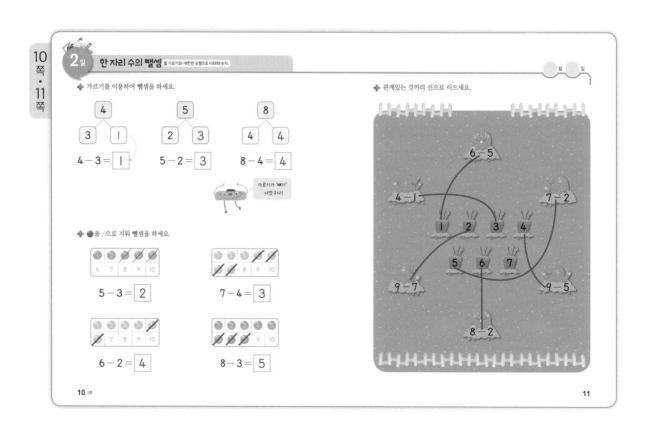

2

3일 **한 자리 수의 뺄셈 연습** 으로 뺄셈 실력을 높여 볼까?

월 일

➕ 뺄셈을 하세요.

$5 - 1 = \boxed{4}$ $\qquad$ $3 - 2 = \boxed{1}$

$7 - 4 = \boxed{3}$ $\qquad$ $6 - 5 = \boxed{1}$

0은 빼나
마나야.

$4 - 2 = \boxed{2}$ $\qquad$ $9 - 0 = \boxed{9}$

$5 - 5 = \boxed{0}$ $\qquad$ $8 - 3 = \boxed{5}$

➕ 뺄셈을 하세요.

➕ 뺄셈을 하여 계산 결과가 작은 수부터 차례로 선으로 이으세요.

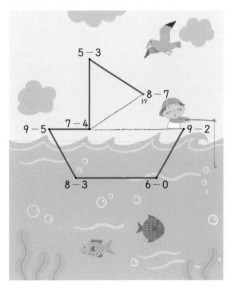

4일 **10에서 빼기(1)** 10에 대한 짝꿍 수를 아직 기억해? 10에서 빼기로 연습해 볼까?

월 일

➕ 그림을 /으로 지워 10에서 빼기를 계산하세요.

 $10 - 3 = \boxed{7}$

 $10 - 2 = \boxed{8}$

   $10 - 6 = \boxed{4}$

➕ 뺄셈을 하세요.

$10 - 5 = \boxed{5}$ $\qquad$ $10 - 1 = \boxed{9}$

$10 - 7 = \boxed{3}$ $\qquad$ $10 - 8 = \boxed{2}$

$10 - 3 = \boxed{7}$ $\qquad$ $10 - 9 = \boxed{1}$

➕ 올바른 계산 결과를 따라 미로를 통과하세요.

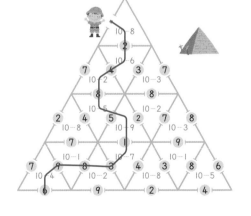

5일 10에서 빼기(2) 계산 결과를 보고 10에서 어떤 수를 뺐는지도 알 수 있어야 해요.

월 일

◆ ●을 /으로 지워 빈칸에 알맞은 수를 구하세요.

$10 - \boxed{4} = 6$

$10 - \boxed{2} = 8$

$10 - \boxed{5} = 5$

$10 - \boxed{6} = 4$

◆ 빈칸에 알맞은 수를 쓰세요.

$10 - \boxed{8} = 2$

$10 - \boxed{3} = 7$

$10 - \boxed{5} = 5$

$10 - \boxed{6} = 4$

$10 - \boxed{7} = 3$

$10 - \boxed{1} = 9$

◆ 10에서 이웃한 수를 빼면 끝에 있는 수가 나와요. 빈 곳에 알맞은 수를 쓰세요.

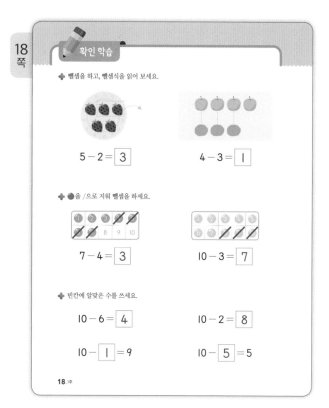

10과 3 사이에는
얼마가 들어가?
10 - □ = 3

16. 1주

17

확인 학습

◆ 뺄셈을 하고, 뺄셈식을 읽어 보세요.

$5 - 2 = \boxed{3}$

$4 - 3 = \boxed{1}$

◆ ●을 /으로 지워 뺄셈을 하세요.

$7 - 4 = \boxed{3}$

$10 - 3 = \boxed{7}$

◆ 빈칸에 알맞은 수를 쓰세요.

$10 - 6 = \boxed{4}$

$10 - 2 = \boxed{8}$

$10 - \boxed{1} = 9$

$10 - \boxed{5} = 5$

18. 1주

1주

4

2주: 받아내림 있는 (십몇)-(몇)

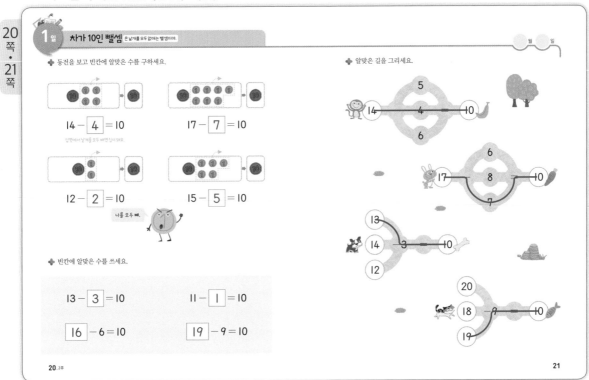

1일 차가 10인 뺄셈 은 낱개를 모두 없애는 뺄셈이야.

♣ 동전을 보고 빈칸에 알맞은 수를 구하세요.

$14 - \boxed{4} = 10$

$17 - \boxed{7} = 10$

$12 - \boxed{2} = 10$

$15 - \boxed{5} = 10$

나를 모두 빼.

♣ 빈칸에 알맞은 수를 쓰세요.

$13 - \boxed{3} = 10$

$11 - \boxed{1} = 10$

$\boxed{16} - 6 = 10$

$\boxed{19} - 9 = 10$

♣ 알맞은 길을 그리세요.

5
14 — 4 — 10
6

6
17 — 8 — 10
7

13
14 — 3 — 10
12

20
18 — 9 — 10
19

20_2주

21

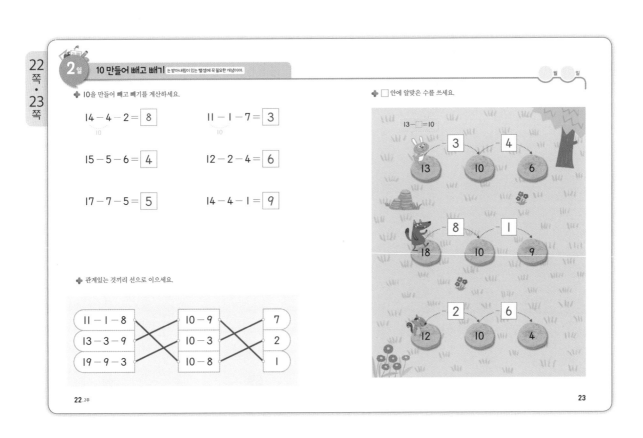

2일 10 만들어 빼고 빼기 는 받아내림이 있는 뺄셈에 꼭 필요한 개념이야.

♣ 10을 만들어 빼고 빼기를 계산하세요.

$14 - 4 - 2 = \boxed{8}$

$11 - 1 - 7 = \boxed{3}$

$15 - 5 - 6 = \boxed{4}$

$12 - 2 - 4 = \boxed{6}$

$17 - 7 - 5 = \boxed{5}$

$14 - 4 - 1 = \boxed{9}$

♣ 관계있는 것끼리 선으로 이으세요.

$11 - 1 - 8$	$10 - 9$	7
$13 - 3 - 9$	$10 - 3$	2
$19 - 9 - 3$	$10 - 8$	1

♣ □ 안에 알맞은 수를 쓰세요.

13 - □ = 10

3 → 4
13   10   6

8 → 1
18   10   9

2 → 6
12   10   4

22_2주

23

5

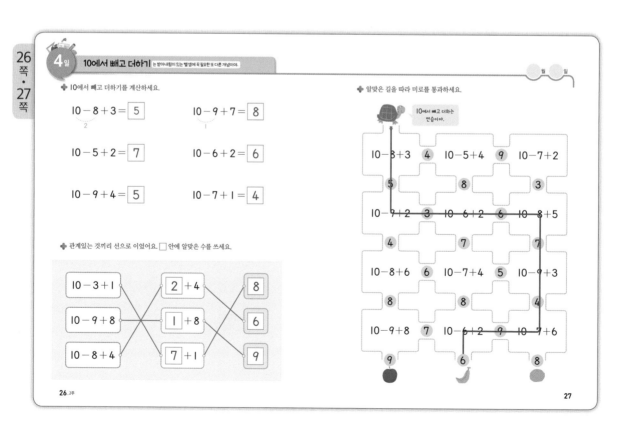

24
쪽·
25
쪽

3일 **뒷수 갈라 뺄셈** 은 앞수를 먼저 10으로 만들어 빼는 뺄셈 방법이야.

월 일

✚ 뒷수를 가르기 하여 뺄셈을 하세요.

먼저 앞수 12가
10이 되도록 뒷수
5를 2와 3으로 갈라.

10이 되도록 뺀 후,
나머지 가른 수 3을
10에서 또 빼.

$12 - 5 = \boxed{7}$

$12 - \boxed{2} - \boxed{3}$

$15 - 6 = \boxed{9}$

$15 - \boxed{5} - \boxed{1}$

$16 - 8 = \boxed{8}$

$16 - \boxed{6} - \boxed{2}$

✚ 앞수를 10으로 만들어 뺄셈을 하도록 빈칸에 알맞은 수를 쓰세요.

$13 - 4$

$13 - \boxed{3} - \boxed{1}$

$14 - 9$

$14 - \boxed{4} - \boxed{5}$

$15 - 8$

$15 - \boxed{5} - \boxed{3}$

✚ 뒷수를 가르기 하여 뺄셈을 하세요.

$11 - 3 = \boxed{8}$
10 ⌐ ⌐ 2

$14 - 7 = \boxed{7}$
10 −4 −3

$15 - 9 = \boxed{6}$
10 −5 −4

$12 - 4 = \boxed{8}$
10 −2 −2

🎃 뒷수 갈라 뺄셈은 언제 사용해?

11−2, 12−3과 같이 뒷수가 작을 때 사용하면 편리해.

✚ 빈칸에 알맞은 수를 쓰세요.

$13 \xrightarrow{-5} \boxed{8}$

$-3 \searrow \boxed{10} \nearrow -2$

5를 빼는 것은 3을 빼고
2를 빼는 것과 같아.

$16 \xrightarrow{-7} \boxed{9}$

$-6 \searrow \boxed{10} \nearrow -1$

26
쪽·
27
쪽

4일 **10에서 빼고 더하기** 는 받아내림이 있는 뺄셈에 꼭 필요한 또 다른 개념이야.

월 일

✚ 10에서 빼고 더하기를 계산하세요.

$10 - 8 + 3 = \boxed{5}$
2

$10 - 9 + 7 = \boxed{8}$
1

$10 - 5 + 2 = \boxed{7}$

$10 - 6 + 2 = \boxed{6}$

$10 - 9 + 4 = \boxed{5}$

$10 - 7 + 1 = \boxed{4}$

✚ 관계있는 것끼리 선으로 이었어요. ☐ 안에 알맞은 수를 쓰세요.

$10 - 3 + 1$　　$2 + 4$　　8

$10 - 9 + 8$　　$1 + 8$　　6

$10 - 8 + 4$　　$7 + 1$　　9

✚ 알맞은 길을 따라 미로를 통과하세요.

10에서 빼고 더하는
연습이야.

$10-8+3$ ④ $10-5+4$ ⑨ $10-7+2$
⑤ ⑧ ③
$10-9+2$ ③ $10-6+2$ ⑥ $10-8+5$
④ ⑦ ⑦
$10-8+6$ ⑥ $10-7+4$ ⑤ $10-9+3$
⑧ ⑧ ④
$10-9+8$ ⑦ $10-6+2$ ⑤ $10-7+6$
⑨ ⑥ ⑧

5일 **앞수 갈라 뺄셈** 은 먼저 10에서 뒷수를 빼는 또 다른 뺄셈 방법이야.

월 일

➕ 앞수를 10과 어떤 수로 가르기 하여 뺄셈을 하세요.

먼저 8을 10에서 빼도록 13을 10과 3으로 갈라.

10에서 뺀 후 나머지 가른 수 3을 더해.

$13 - 8 = 5$

$10 - 8 + 3$

$11 - 7 = 4$

$10 - 7 + 1$

$15 - 9 = 6$

$10 - 9 + 5$

➕ 10에서 뒷수를 먼저 빼도록 빈칸에 알맞은 수를 쓰세요.

$12 - 9$

$10 - 9 + 2$

$11 - 6$

$10 - 6 + 1$

$14 - 8$

$10 - 8 + 4$

➕ 10에서 뒷수를 먼저 빼는 방법으로 뺄셈을 하세요.

$15 - 8 = 7$

$10 - 8 + 5$

$13 - 7 = 6$

$10 - 7 + 3$

$17 - 9 = 8$

$10 - 9 + 7$

$12 - 8 = 4$

$10 - 8 + 2$

앞수 갈라 뺄셈은 언제 사용해?
13-9, 14-8과 같이 뒷수가 10에 가까운 수일 때 사용하면 편리해.

➕ ☐ 안에 알맞은 수를 써서 뺄셈을 하세요.

$13 - 9$
$= 1 + 3 = 4$

10에서 뒷수를 바로 빼고 남은 수를 더해 봐.

$12 - 6$
$= 4 + 2 = 6$

$15 - 8$
$= 2 + 5 = 7$

$14 - 7$
$= 3 + 4 = 7$

확인 학습

➕ 빈칸에 알맞은 수를 쓰세요.

$17 - 7 = 10$

$13 - 3 = 10$

$12 - 2 - 5 = 5$

$10 - 9 + 6 = 7$

➕ 뒷수를 가르기 하여 뺄셈을 하세요.

$15 - 6 = 9$

$15 - 5 - 1$

$13 - 5 = 8$

$13 - 3 - 2$

➕ 앞수를 가르기 하여 뺄셈을 하세요.

$11 - 8 = 3$

$10 - 8 + 1$

$14 - 9 = 5$

$10 - 9 + 4$

2주

3주: 뺄셈구구표와 ☐가 있는 뺄셈

1일 뺄셈구구 연습 앞수 가르기와 뒷수 가르기 2가지 방법으로 뺄셈구구를 연습해 보자.

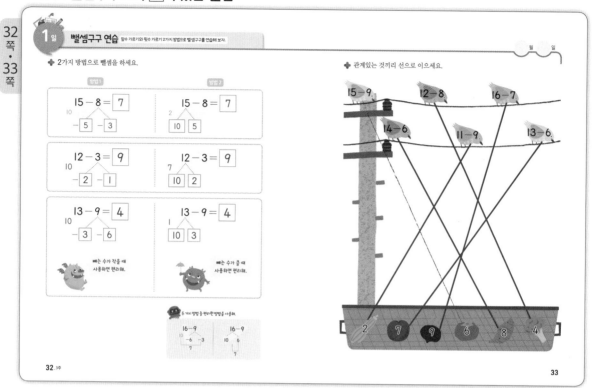

2일 뺄셈구구표 한눈에 보기 81개의 뺄셈구구를 표로 정리해 보자!

♣ 뺄셈구구표를 완성하세요.

−	11	12	13	14	15	16	17	18	19
1	10	11	12	13	14	15	16	17	18
2	9	10	11	12	13	14	15	16	17
3	8	9	10	11	12	13	14	15	16
4	7	8	9	10	11	12	13	14	15
5	6	7	8	9	10	11	12	13	14
6	5	6	7	8	9	10	11	12	13
7	4	5	6	7	8	9	10	11	12
8	3	4	5	6	7	8	9	10	11
9	2	3	4	5	6	7	8	9	10

뺄셈구구표에도
규칙이 숨어 있어.

┌ 규칙 ┐
① → 방향으로 갈수록 1씩 커집니다.
② ↓ 방향으로 갈수록 1씩 작아집니다.
③ ↗ 방향으로 갈수록 2씩 커집니다.
④ ↘ 방향으로 같은 수들이 놓여 있습니다.

♣ 뺄셈표를 완성하세요.

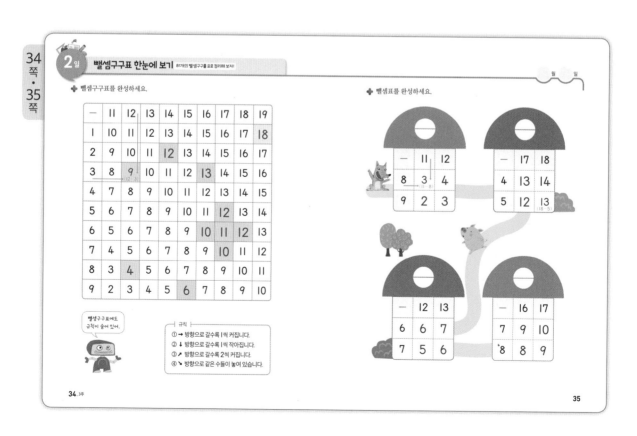

3일 □가 있는 뺄셈구구 █ 잘하면 뺄셈구구 실력이 좋아져.

월 일

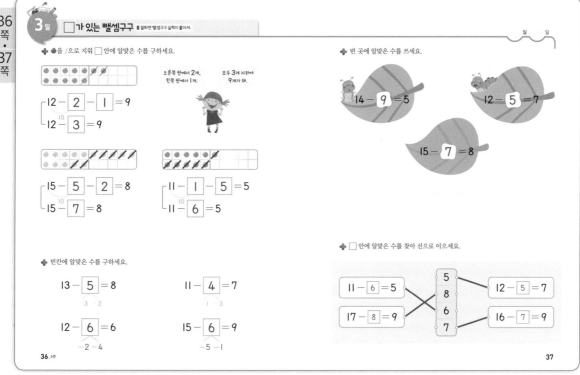

➕ ●을 /으로 지워 □ 안에 알맞은 수를 구하세요.

오른쪽 판에서 **2개**, 왼쪽 판에서 **1개**, 모두 **3개** 지워야 **9개**가 돼.

$12 - \boxed{2} - \boxed{1} = 9$
$12 - \boxed{3} = 9$

$15 - \boxed{5} - \boxed{2} = 8$
$15 - \boxed{7} = 8$

$11 - \boxed{1} - \boxed{5} = 5$
$11 - \boxed{6} = 5$

➕ 빈칸에 알맞은 수를 구하세요.

$13 - \boxed{5} = 8$
　3　2

$11 - \boxed{4} = 7$
　1　3

$12 - \boxed{6} = 6$
　-2　-4

$15 - \boxed{6} = 9$
　-5 -1

➕ 빈 곳에 알맞은 수를 쓰세요.

$14 - \boxed{9} = 5$

$12 - \boxed{5} = 7$

$15 - \boxed{7} = 8$

➕ □ 안에 알맞은 수를 찾아 선으로 이으세요.

$11 - \boxed{6} = 5$　　　5　　$12 - \boxed{5} = 7$
$17 - \boxed{8} = 9$　　　8　6　$16 - \boxed{7} = 9$
　　　　　　　　　　　7

36 ·3주

37

4일 □가 있는 뺄셈구구 연습 에서는 □가 1개 또는 2개 있는 뺄셈구구를 연습해.

월 일

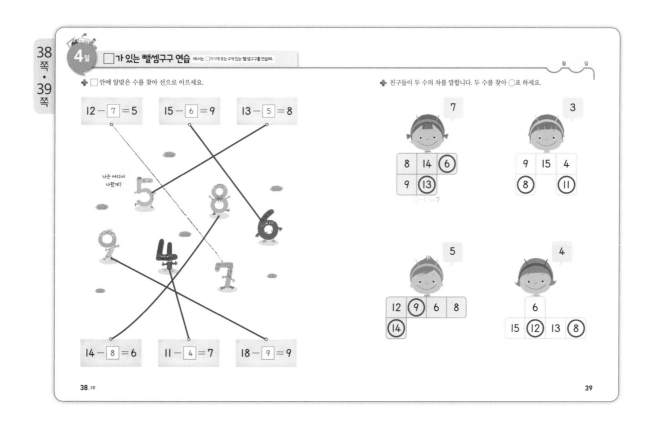

➕ □ 안에 알맞은 수를 찾아 선으로 이으세요.

$12 - \boxed{7} = 5$　　$15 - \boxed{6} = 9$　　$13 - \boxed{5} = 8$

나는 어디서 나왔게?

$14 - \boxed{8} = 6$　　$11 - \boxed{4} = 7$　　$18 - \boxed{9} = 9$

➕ 친구들이 두 수의 차를 말합니다. 두 수를 찾아 ○표 하세요.

7

| 8 | 14 | ⑥ |
| 9 | ⑬ | |

□-□=7

3

| 9 | 15 | 4 |
| ⑧ | ⑪ | |

5

| 12 | ⑨ | 6 | 8 |
| ⑭ | | | |

4

| 6 | | |
| 15 | ⑫ | 13 | ⑧ |

38 ·3주

39

9

5일 빼고 빼기 세 수의 뺄셈을 앞에서부터 차례로 계산해 볼까?

◆ 세 수의 뺄셈을 하세요.

$13 - 6 - 5 = \boxed{2}$ $12 - 3 - 1 = \boxed{8}$
$\boxed{7}$ $\boxed{9}$
$\boxed{2}$ $\boxed{8}$

$17 - 4 - 7 = \boxed{6}$ $11 - 5 - 3 = \boxed{3}$
$\boxed{13}$ $\boxed{6}$
$\boxed{6}$ $\boxed{3}$

◆ 세 수의 뺄셈을 하세요.

$13 - 4 - 5 = \boxed{4}$ $14 - 3 - 2 = \boxed{9}$

$11 - 5 - 1 = \boxed{5}$ $17 - 1 - 9 = \boxed{7}$

$19 - 7 - 7 = \boxed{5}$ $15 - 3 - 8 = \boxed{4}$

◆ 같은 색 선을 따라 차례로 계산하여 □ 안에 알맞은 수를 쓰세요.

14 → $\boxed{5}$ (16-9-2)
12 → $\boxed{6}$ (14-2-6)
15 → $\boxed{2}$ (15-8-5)
16 → $\boxed{1}$ (12-5-6)

40 _3주   41

확인 학습

◆ 뺄셈표를 완성하세요.

−	13	14
4	9	10
5	8	9

−	12	13
8	4	5
9	3	4

◆ 빈칸에 알맞은 수를 쓰세요.

$13 - \boxed{4} = 9$ $14 - \boxed{6} = 8$
3 1   4 2

◆ 계산을 하세요.

$13 - 4 - 5 = \boxed{4}$ $12 - 3 - 1 = \boxed{8}$

3주

42 _3주

4주: 덧셈과 뺄셈

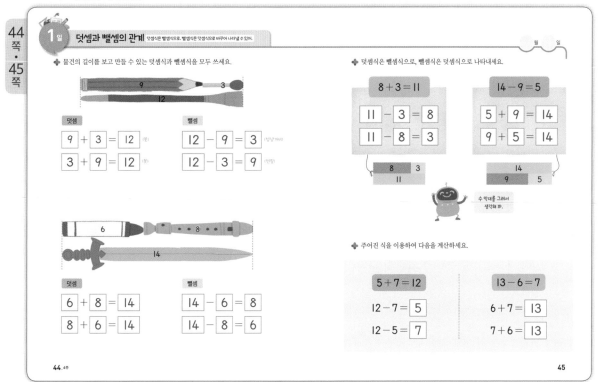

1일 **덧셈과 뺄셈의 관계** 덧셈식은 뺄셈식으로, 뺄셈식은 덧셈식으로 바꾸어 나타낼 수 있어.

월 일

➕ 물건의 길이를 보고 만들 수 있는 덧셈식과 뺄셈식을 모두 쓰세요.

9 3
12

덧셈

$9 + 3 = 12$ (붓)

$3 + 9 = 12$ (붓)

뺄셈

$12 - 9 = 3$ (색연필)

$12 - 3 = 9$ (연필)

6 8
14

덧셈

$6 + 8 = 14$

$8 + 6 = 14$

뺄셈

$14 - 6 = 8$

$14 - 8 = 6$

➕ 덧셈식은 뺄셈식으로, 뺄셈식은 덧셈식으로 나타내세요.

$8 + 3 = 11$

$11 - 3 = 8$

$11 - 8 = 3$

8 3
11

$14 - 9 = 5$

$5 + 9 = 14$

$9 + 5 = 14$

14
9 5

수 막대를 그려서 생각해 봐.

➕ 주어진 식을 이용하여 다음을 계산하세요.

$5 + 7 = 12$

$12 - 7 = 5$

$12 - 5 = 7$

$13 - 6 = 7$

$6 + 7 = 13$

$7 + 6 = 13$

44 .4주

45

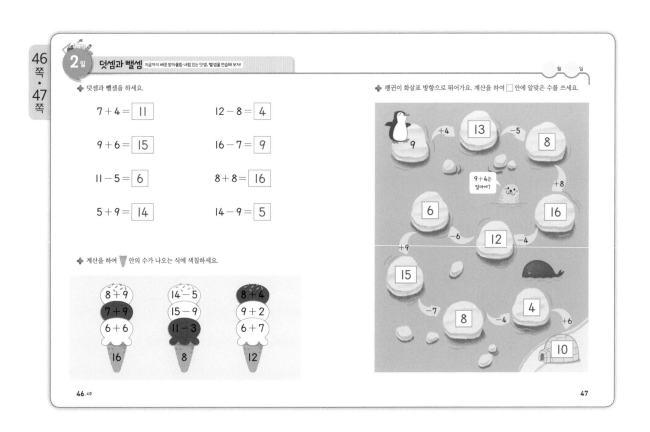

2일 **덧셈과 뺄셈** 지금까지 배운 받아올림·내림 있는 덧셈, 뺄셈을 연습해 보자!

월 일

➕ 덧셈과 뺄셈을 하세요.

$7 + 4 = 11$

$9 + 6 = 15$

$11 - 5 = 6$

$5 + 9 = 14$

$12 - 8 = 4$

$16 - 7 = 9$

$8 + 8 = 16$

$14 - 9 = 5$

➕ 계산을 하여 ▼ 안의 수가 나오는 식에 색칠하세요.

$8 + 9$
$7 + 9$
$6 + 6$
16

$14 - 5$
$15 - 9$
$11 - 3$
8

$8 + 4$
$9 + 2$
$6 + 7$
12

➕ 펭귄이 화살표 방향으로 뛰어가요. 계산을 하여 ☐ 안에 알맞은 수를 쓰세요.

9 +4 13 −5 8

9+4는 얼마야?

6 +8

−6 12 16 −4

+9

15

−7 8 −4 4 +6

10

46 .4주

47

11

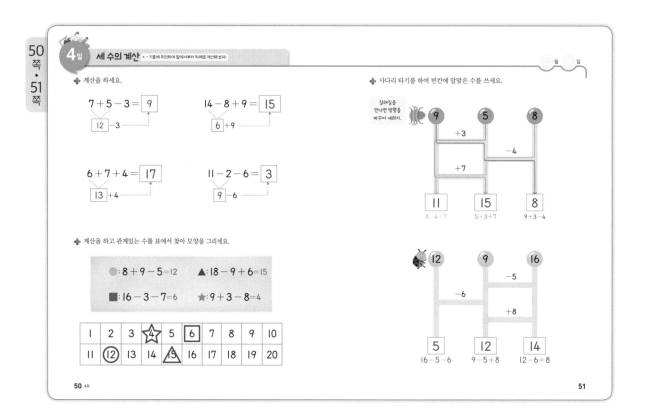

3일 □ 구하기 덧셈과 뺄셈의 관계를 이용하면 □를 더 쉽게 구할 수 있어.

48쪽 · 49쪽

＋ 올바른 식이 되도록 □ 안에 알맞은 수를 쓰세요.

가장 먼저 알 수 있는 칸부터 채워 봐.

$$6 + 6 = 12$$
$$14 - 8 = 6$$

$$8 + □ = 13$$
$$⇒ 13 - 8 = □$$

$$8 + 5 = 13$$
$$7 - 4 = 3$$

＋ 공 3개 중에서 2개를 뽑아 주어진 식을 만드세요.

어떤 공이 나올까?

$$8 + 6 = 14$$
$$6 + 4 = 10$$
또는 4 6
$$8 + 4 = 12$$
또는 4 8

$$13 - 9 = 4$$
$$9 - 7 = 2$$
$$13 - 7 = 6$$

$$7 + 6 = 13$$
또는 6 7
$$15 - 6 = 9$$
$$15 - 7 = 8$$

48 .4주

49

4일 세 수의 계산 +, - 기호에 주의하여 앞에서부터 차례로 계산해 보자!

50쪽 · 51쪽

＋ 계산을 하세요.

$$7 + 5 - 3 = 9$$
12 -3

$$14 - 8 + 9 = 15$$
6 +9

$$6 + 7 + 4 = 17$$
13 +4

$$11 - 2 - 6 = 3$$
9 -6

＋ 계산을 하고 관계있는 수를 표에서 찾아 모양을 그리세요.

● : 8 + 9 - 5 = 12   ▲ : 18 - 9 + 6 = 15
■ : 16 - 3 - 7 = 6   ★ : 9 + 3 - 8 = 4

1	2	3	☆	5	6	7	8	9	10
11	⑫	13	14	△	16	17	18	19	20

＋ 사다리 타기를 하여 빈칸에 알맞은 수를 쓰세요.

갈림길을 만나면 방향을 바꾸어 내려가.

9   5   8
+3
-4
+7

11   15   8
8-4+7   5+3+7   9+3-4

12   9   16
-5
-6
+8

5   12   14
16-5-6   9-5+8   12-6+8

50 .4주

51

12

5일 **기호 넣기** 수가 커지고 작아지는 것을 생각하여 +, - 기호를 넣어 봐!

➕ ○ 안에 +, -를 알맞게 쓰세요.

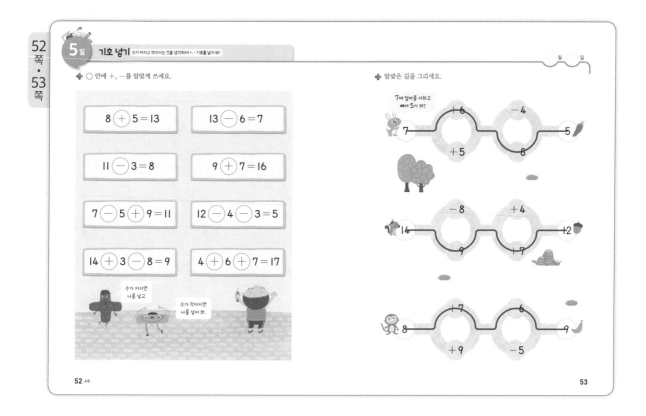

8 ⊕ 5 = 13

13 ⊖ 6 = 7

11 ⊖ 3 = 8

9 ⊕ 7 = 16

7 ⊖ 5 ⊕ 9 = 11

12 ⊖ 4 ⊖ 3 = 5

14 ⊕ 3 ⊖ 8 = 9

4 ⊕ 6 ⊕ 7 = 17

수가 커지면 나를 넣고

수가 작아지면 나를 넣어 봐.

➕ 알맞은 길을 그리세요.

7에 얼마를 더하고 빼야 5가 돼?

7 ── +6 ── -4 ── 5
      +5   8

14 ── -8 ── +4 ── +2
       +7

8 ── +7 ── 6 ── 9
      +9   -5

✏️ **확인 학습**

➕ 그림을 보고 만들 수 있는 덧셈식과 뺄셈식을 모두 쓰세요.

4	7
11	

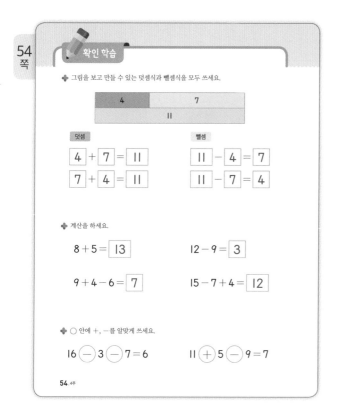

덧셈

4 + 7 = 11

7 + 4 = 11

뺄셈

11 - 4 = 7

11 - 7 = 4

➕ 계산을 하세요.

8 + 5 = 13

12 - 9 = 3

9 + 4 - 6 = 7

15 - 7 + 4 = 12

➕ ○ 안에 +, -를 알맞게 쓰세요.

16 ⊖ 3 ⊖ 7 = 6

11 ⊕ 5 ⊖ 9 = 7

4주

마무리 평가

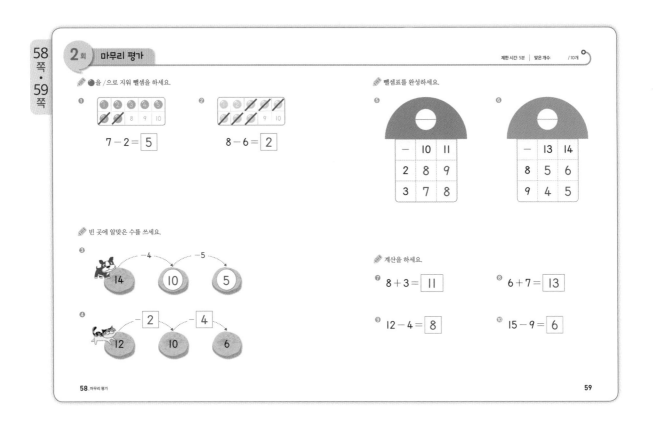

3 회 마무리 평가

제한 시간 : 5분 | 맞은 개수 :   / 12개

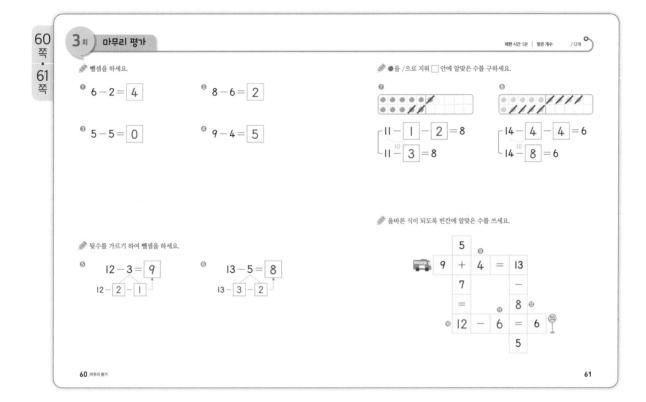

✏️ 뺄셈을 하세요.

① $6 - 2 = \boxed{4}$　　② $8 - 6 = \boxed{2}$

③ $5 - 5 = \boxed{0}$　　④ $9 - 4 = \boxed{5}$

✏️ ●을 /으로 지워 ☐ 안에 알맞은 수를 구하세요.

⑦
$\begin{bmatrix} 11 - \boxed{1} - \boxed{2} = 8 \\ 11 - \overset{10}{\boxed{3}} = 8 \end{bmatrix}$

⑧
$\begin{bmatrix} 14 - \boxed{4} - \boxed{4} = 6 \\ 14 - \overset{10}{\boxed{8}} = 6 \end{bmatrix}$

✏️ 뒷수를 가르기 하여 뺄셈을 하세요.

⑤ $12 - 3 = \boxed{9}$
　$12 - \boxed{2} - \boxed{1}$

⑥ $13 - 5 = \boxed{8}$
　$13 - \boxed{3} - \boxed{2}$

✏️ 올바른 식이 되도록 빈칸에 알맞은 수를 쓰세요.

	5	⑨		
9	+	4	=	13
	7		−	
=			⑪ 8	⑫
⑩ 12	−	6	=	6
			5	

4 회 마무리 평가

제한 시간 : 5분 | 맞은 개수 :   / 10개

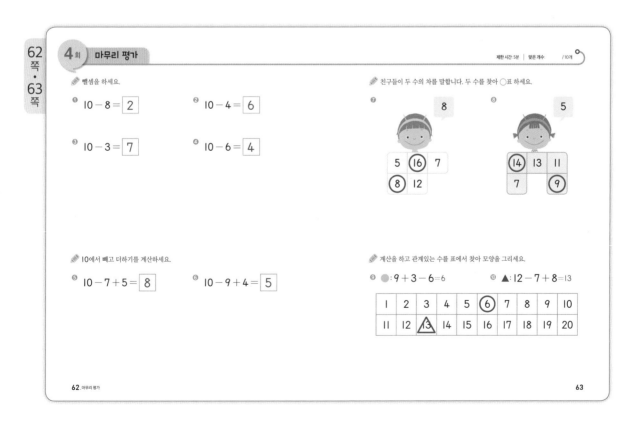

✏️ 뺄셈을 하세요.

① $10 - 8 = \boxed{2}$　　② $10 - 4 = \boxed{6}$

③ $10 - 3 = \boxed{7}$　　④ $10 - 6 = \boxed{4}$

✏️ 친구들이 두 수의 차를 말합니다. 두 수를 찾아 ◯표 하세요.

⑦　8

5　⑯　7
⑧　12

⑧　5

⑭　13　11
7　⑨

✏️ 10에서 빼고 더하기를 계산하세요.

⑤ $10 - 7 + 5 = \boxed{8}$　　⑥ $10 - 9 + 4 = \boxed{5}$

✏️ 계산을 하고 관계있는 수를 표에서 찾아 모양을 그리세요.

● : $9 + 3 - 6 = 6$　　▲ : $12 - 7 + 8 = 13$

1	2	3	4	5	⑥	7	8	9	10
11	12	△13	14	15	16	17	18	19	20

64
쪽
·
65
쪽

5회 마무리 평가

제한 시간: 5분 | 맞은 개수: / 10개

✏️ 빈칸에 알맞은 수를 쓰세요.

① $10 - \boxed{7} = 3$ ② $10 - \boxed{9} = 1$

③ $10 - \boxed{5} = 5$ ④ $10 - \boxed{2} = 8$

✏️ 세 수의 뺄셈을 하세요.

⑦ $14 - 3 - 7 = \boxed{4}$ ⑧ $15 - 9 - 4 = \boxed{2}$

✏️ 앞수를 10과 어떤 수로 가르기 하여 뺄셈을 하세요.

⑤ $14 - 8 = \boxed{6}$
$\quad 10 - \boxed{8} + \boxed{4}$

⑥ $11 - 6 = \boxed{5}$
$\quad 10 - \boxed{6} + \boxed{1}$

✏️ 알맞은 길을 그리세요.

⑨

⑩
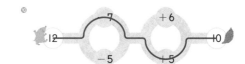

64 마무리 평가

65

실력 평가

68
쪽

초1 2권 **실력 평가**

칸토의 연산

① $9 - 5 = 4$ ⑪ $12 - 7 = 5$

② $11 - 8 = 3$ ⑫ $13 - 9 = 4$

③ $10 - 4 = 6$ ⑬ $1 - 0 = 1$

④ $16 - 9 = 7$ ⑭ $14 - 5 = 9$

⑤ $11 - 7 = 4$ ⑮ $10 - 3 = 7$

⑥ $13 - 6 = 7$ ⑯ $13 - 8 = 5$

⑦ $17 - 9 = 8$ ⑰ $16 - 7 = 9$

⑧ $12 - 8 = 4$ ⑱ $11 - 9 = 2$

⑨ $7 - 2 = 5$ ⑲ $15 - 8 = 7$

⑩ $14 - 6 = 8$ ⑳ $12 - 6 = 6$

68 실력 평가

The essence of mathematics is freedom.

수학의 본질은 자유로움에 있다.

Georg Cantor(1845~1918)

모 델 명 : 칸토의 연산

제조년월 : 2024년 3월 | **제조자명** : ㈜씨투엠에듀

주소 및 전화번호 : 경기도 수원시 장안구 파장로 7(태영빌딩 3층) / 031-548-1191

제조국명 : 한국 | **사용연령** : 만 3세 이상

이 책의 전부 또는 일부에 대한 무단전재와 무단복제를 금합니다.

홈페이지 : www.c2medu.co.kr | **지원카페** : cafe.naver.com/fieldsm